Chère lectrice,

Ce mois-ci, j'ai le grand plaisir de vous proposer le dernier volet de votre belle trilogie « Héritières rebelles », signée Lynne Graham. Dans *Le chantage d'un homme d'affaires* (Azur n° 3354), Tawny se voit contrainte d'épouser le milliardaire Navarre Cazier, dont elle est enceinte après une unique nuit de passion. Mais cette union de convenance, qu'elle n'a acceptée que pour le bien de son bébé à naître, va lui réserver une très étonnante surprise…

Mais ce n'est pas tout ce que je vous propose… Vous découvrirez également le deuxième volume de « La Couronne de Santina », votre grande saga Azur (*L'enfant secret du cheikh*, Azur n° 3355). Et puis, vous ferez la connaissance de Drusilla, Gracie, Maxie, Kim, Lorrayne, Hannah, Tahlia et Zoe, toutes vos autres héroïnes de ce joli mois de mai… Des jeunes femmes au destin hors du commun qui vous feront partager leur bonheur d'avoir enfin trouvé l'amour… après avoir parcouru un chemin semé d'embûches !

Bonne lecture et à bientôt.

La responsable de collection

Fiancée à son ennemi

LINDSAY ARMSTRONG

Fiancée à son ennemi

collection *Azur*

éditions HARLEQUIN

Collection : Azur

Cet ouvrage a été publié en langue anglaise
sous le titre :
WHEN ONLY DIAMONDS WILL DO

HARLEQUIN®
est une marque déposée par le Groupe Harlequin
Azur® est une marque déposée par Harlequin S.A.

Service Lectrices — Tél. : 01 45 82 47 47
www.harlequin.fr
ISBN 978-2-2802-7924-6 — ISSN 0993-4448

Prologue

Reith Richardson raccrocha d'un geste sec en étouffant un juron.

Alice Hawthorn, sa fidèle secrétaire, la cinquantaine, cheveux gris, tailleur strict, haussa un sourcil.

— C'était Francis Theron au téléphone, je suppose ?

— En effet ! Sans doute ne me trouve-t-il pas assez bien pour me vendre ses vignobles bien-aimés. Il m'a d'ailleurs laissé entendre que nous n'étions pas du même monde. Il n'en est pas moins au bord de la faillite, et n'a pas d'autre offre d'achat que la mienne.

Alice soupira avant de murmurer comme pour elle-même :

— Ces Theron sont des gens socialement très en vue. Leurs domaines viticoles de Balthazar et Saldanha leur servent de particule, si l'on peut dire. Pour ne rien arranger, ils ont une très haute opinion d'eux-mêmes.

— Je m'en suis rendu compte, approuva Reith. Eh bien, tant pis pour eux ! Je retire mon offre, on verra bien ce qui arrivera.

Il rassembla les papiers épars sur son bureau pour les tendre à sa secrétaire qui dit alors :

— Ils ont une fille, si je ne me trompe. Un peu plus de vingt ans, je crois, et ravissante, paraît-il.

Reith haussa les épaules.

— Que ses parents lui trouvent donc un riche mari qui les tirera d'affaire !

— Ils ont aussi un fils.

— Je sais, je l'ai rencontré. Le prototype du garçon bien sous tous rapports : scolarité en Angleterre, excellent joueur de polo, féru de chevaux, mais hélas pour lui et sa famille, complètement dépourvu du sens des affaires.

Reith eut un sourire sardonique avant d'ajouter :

— C'est peut-être à lui qu'il faudrait dénicher une femme riche...

Alice se mit à rire.

— Vous serez à Perth ou ici, à Bunbury, dans les jours qui viennent ? demanda-t-elle en se levant.

— Plutôt ici. J'ai entendu parler d'un étalon qui pourrait être intéressant.

Reith promena un regard las sur le décor de son bureau : tout y était neuf, sobre et très luxueux.

— Je n'aime pas les tableaux choisis par le décorateur, déclara-t-il, je ne sais pas pourquoi, mais je n'ai pas envie de les regarder, ils ne me procurent aucun plaisir.

Alice porta à son tour les yeux sur les paysages impressionnistes et les marines qui ornaient les murs.

— Peut-être devriez-vous en choisir d'autres vous-même ? suggéra-t-elle.

Reith se leva pour gagner la baie vitrée offrant un magnifique panorama sur toute la ville et les méandres majestueux de la Swan River.

— Il faudrait que j'en aie le temps, soupira-t-il. Merci, Alice, ce sera tout pour l'instant.

De retour dans son bureau, la secrétaire demeura pensive. Il était extrêmement rare que son patron se voie refuser une offre de rachat. Reith Richardson avait l'art de bien choisir son moment quand il s'agissait de reprendre des affaires déclinantes. Ensuite il savait les redresser et en faire des entreprises rentables qu'il pouvait revendre au prix fort. C'est ainsi que, à partir d'un capital modeste acquis grâce à une petite affaire de minerai, il se trouvait maintenant à la tête d'une fortune assez considérable.

Le cas des Theron, cependant, n'était pas tout à fait classique : il s'agissait d'une vieille famille dont les ancêtres huguenots cultivaient déjà la vigne en Afrique du Sud. Une branche de la famille était venue s'installer en Australie au XIXe siècle, et leurs vignobles avaient prospéré en même temps que leur fortune. Depuis deux générations au moins ils représentaient l'aristocratie des viticulteurs australiens et n'en étaient pas peu fiers.

Reith Richardson, lui, possédait un pedigree moins glorieux. Il avait grandi dans une ferme perdue au fin fond du bush.

Haussant les épaules, Alice rangea le dossier qu'elle n'aurait sans doute plus à sortir.

Son patron lui inspirait des sentiments contradictoires : parfois, elle aurait souhaité avoir vingt ans de moins, mais à d'autres moments, elle éprouvait pour lui une sollicitude presque maternelle. Ainsi, en cet instant, elle aurait voulu qu'il se montre plus humain, plus compréhensif, alors qu'en affaires, il était dur et intraitable quel que soit celui qui se trouvait en face de lui.

Au fond, il avait besoin d'une femme pour apporter un peu de douceur dans sa vie. Les prétendantes ne manquaient pas : elles étaient même nombreuses, celles qui se seraient damnées pour ce bel homme au regard ténébreux, mais il ne leur prêtait guère attention. Il est vrai qu'il était sans doute échaudé, ayant déjà été marié et ayant tragiquement perdu sa femme. Depuis, le mariage ne semblait plus l'intéresser.

Le téléphone tira Alice de ses pensées. Elle décrocha sans se douter que, pendant qu'elle réfléchissait, son patron contemplait une photo sur son bureau, tout en songeant à son épouse décédée.

Le cliché dans son cadre en argent ne représentait pas celle-ci, mais un petit garçon blond au visage sérieux, qui répondait au nom de Darcy Richardson. Le fils de Reith, son fils unique, né de cette mère disparue si jeune. Elle avait un peu plus de dix-neuf ans quand il l'avait épousée, et tout juste vingt lorsqu'elle avait donné naissance à cet enfant, avant de succomber quelques jours plus tard de complications imprévisibles.

Reith surmonterait-il un jour sa culpabilité ? Comment savoir ? Il aurait dû se méfier, se douter que cette fille si jeune, jamais sortie de sa campagne, pouvait se tromper quand elle lui avait dit ne plus prendre la pilule qui la rendait malade, mais assuré que, à cette période de son cycle, ils ne risquaient rien en faisant l'amour. Sa mort, cet accident si tragique et inattendu, ne le laisserait jamais en paix.

Et puis, il y avait son fils. L'enfant avait été élevé presque exclusivement par sa grand-mère maternelle jusqu'au décès de celle-ci, six mois plus tôt. Reith l'avait alors repris avec lui pour le placer en internat pendant l'année scolaire. Mais le garçonnet ne se départait jamais d'une carapace d'indifférence et de réserve impossible à percer.

Darcy allait revenir dans quelque temps pour les vacances, et de nouveau Reith se sentirait coupable et impuissant devant cet enfant qui ressemblait tant à sa mère, et se comportait chez lui comme un invité poli.

Il enfonça sauvagement les mains dans ses poches. Pourquoi se tourmenter ainsi ? Il donnerait à son fils de solides relations professionnelles et financières : c'était beaucoup plus important que ce qu'on appelait de nos jours l'« épanouissement affectif », une expression creuse et vide de sens.

Par association d'idées, Frank Theron s'imposa à l'esprit de Reith. « Non seulement je dois penser à ma famille, mais j'ai aussi mon honneur. » Voilà ce que lui avait dit le propriétaire des vignobles de Balthazar et Saldanha.

Oubliez votre honneur, monsieur Theron, et concentrez-vous sur votre famille, songea Reith avec un sourire de prédateur, tandis que son expression se durcissait à la pensée du père et de son fils Damien, véritable blanc-bec, s'il en était.

1.

— Vous êtes complètement dingue ! s'écria l'inconnu en bondissant de sa voiture.

C'était un gros 4x4 métallisé d'un modèle récent qui, en freinant des quatre roues, avait soulevé un nuage de poussière avant de manquer finir sa course contre un arbre. Son conducteur semblait fou furieux. Pourtant la jeune femme n'avait rien à se reprocher : certes, elle sautillait au beau milieu de la route, mais, vu les circonstances, quelle autre solution existait-il pour obliger ce véhicule à s'arrêter et à lui venir en aide ?

— Désolée, dit-elle vivement, je suis Kimberley Theron. Le malheur veut que ma voiture soit tombée en panne sèche et je suis pressée. Pourriez-vous me dépanner ?

— Kimberley Theron ? répéta l'inconnu.

— Oui, euh… vous avez peut-être entendu parler de… euh… pas de moi, mais le nom de Theron vous dit quelque chose, je suppose ?

En parlant, la jeune femme examinait son interlocuteur, et ses yeux soudain s'agrandirent. C'est qu'il était superbe ! Grand, brun, ténébreux… beau ? non, le terme était trop banal. Intéressant plutôt, avec du caractère, cela lui convenait beaucoup mieux. Environ trente-cinq ans. Des yeux très sombres, des cheveux drus et noirs aussi, de larges épaules, des hanches étroites, et de longues, longues jambes qu'on devinait puissantes sous le pantalon cargo gris assorti à son T-shirt.

— Kimberley Theron, répéta-t-il une nouvelle fois, détaillant la jeune femme avec attention.

Son regard se porta ensuite sur la luxueuse décapotable, avec sa carrosserie gris métallisé et son intérieur cuir maintenant couverts de poussière. Croisant les bras, l'homme dit alors :

— On ne vous a jamais dit, mademoiselle, que danser en plein milieu de la route en exhibant vos jambes pouvait être dangereux ? Et le mot est faible !

— En vérité…

La jeune femme s'interrompit, fronçant les sourcils.

— Non, personne n'a pensé à me le dire…

Elle abaissa les yeux sur ses jambes maintenant en partie dissimulées sous sa jupe en jean, avant de regarder de nouveau l'inconnu. Cette fois, ses prunelles bleu saphir étaient espiègles. Elle réussit pourtant à prendre un air contrit pour assurer :

— Je suis désolée, mais pour être franche, c'était le moyen le plus sûr que vous vous arrêtiez. En tout cas, le seul qui me soit venu à l'esprit. Plutôt amusant, non ?

L'homme n'avait pas l'air de s'amuser. Il scruta les alentours. C'était une route de campagne déserte, qui traversait des paddocks à perte de vue, sans une habitation ni le moindre véhicule à l'horizon. Et le soleil était au zénith.

— Je ne peux pas siphonner mon réservoir pour vous dépanner parce que je roule au diesel, et pas vous, déclara l'inconnu. Où allez-vous ?

— A Bunbury. Vous aussi ? Oh ! ce serait trop beau ! Dites, vous me prendriez avec vous ?

L'inconnu détailla de nouveau Kimberley Theron. Elle avait sans doute un peu plus de vingt ans, et elle était… oui, elle était époustouflante, avec ses magnifiques cheveux blond roux, ses yeux bleu intense, son teint doré et surtout… oui, surtout ses jambes de rêve !

Elle dégageait aussi une énergie qui ne laissait pas indifférent, même si tout aurait pu finir tragiquement.

Cependant on sentait autre chose aussi chez elle : sous la vitalité et l'humour, dont elle ne manquait pas, perçait une assurance un peu hautaine… comme la conviction qu'elle n'était pas une simple mortelle, mais une Theron. Par conséquent, demander un service à un inconnu était presque lui faire un honneur.

L'homme réfléchit puis, désignant la voiture décapotable, demanda :

— Vous allez l'abandonner ici ?

— Non, bien sûr.

Kimberley Theron hésita.

— La guigne me poursuit aujourd'hui, avoua-t-elle. La batterie de mon portable est déchargée. Auriez-vous le vôtre avec vous ? Dans ce cas, je pourrais appeler chez moi pour qu'on vienne récupérer ma voiture. Je vous dédommagerai, bien sûr, et pour le téléphone et pour l'essence, si vous me conduisez à Bunbury.

— Ce n'est pas…

— Si, j'y tiens, dit-elle avec un impérieux petit mouvement de la tête.

L'homme haussa les épaules et sortit son portable de sa poche.

— Bonsoir, maman, s'exclama la jeune femme peu après, c'est moi. Maman chérie, il faut que tu me rendes un grand service…

Suivit la narration dans le détail des tribulations de Kimberley Theron, puis la description brève mais précise du véhicule de celui qui lui portait secours, avec son numéro d'immatriculation, preuve s'il en fallait qu'elle avait les deux pieds sur terre. Après quoi elle raccrocha et rendit l'appareil à son propriétaire, disant sur un petit ton contrit :

— Désolée, j'espère que vous ne m'en voudrez pas d'avoir donné des détails sur vous. Ma mère est une anxieuse.

Il lui lança un regard ironique.

— En tout cas, je sais pourquoi je suis tombée en panne sèche, reprit la jeune femme, et ce n'est pas ma faute : ma mère a emprunté ma voiture et elle a oublié d'y remettre de l'essence. Quant à moi, j'étais si pressée que je n'ai pas regardé la jauge en partant.

— Pourquoi tant de hâte à aller à Bunbury ?

— Je vous le dirai en route, si vous voulez bien m'y conduire.

Après un instant d'hésitation, l'homme lui fit signe de monter dans la voiture.

— C'est ma copine Penny, expliqua-t-elle à peine installée sur le siège passager, ma meilleure amie. Elle est enceinte et le bébé est… enfin, il devait naître d'ici à quinze jours, mais elle a des contractions depuis ce matin. Sa mère est à Melbourne, autant dire à l'autre bout du pays, et son mari convoie un bateau depuis Port Hedland. Elle se trouve donc seule et c'est son premier enfant.

— Je vois. Avez-vous songé que, puisque vous téléphoniez chez vous, vous pouviez demander qu'on vienne vous chercher pour vous accompagner à Bunbury ?

Kimberley Theron secoua la tête.

— Impossible. Saldanha… je veux dire la propriété où j'habite, se trouve à une demi-heure de route dans la direction opposée. Le temps que là-bas on organise les choses, j'aurais perdu des heures.

Elle se tourna pour regarder l'homme qui conduisait et demanda soudain :

— Ça vous ennuie beaucoup de m'accompagner ?

Il rétrograda pour négocier un virage serré tout en se demandant comment réagirait sa passagère s'il lui disait la vérité. Car s'il était des gens qu'il n'avait aucune envie de rencontrer, c'était bien les membres de la famille Theron, propriétaires de Saldanha et Balthazar…

— J'allais à Bunbury, de toute façon.

Kim le regarda attentivement avant de demander :

— Comment vous appelez-vous ?

— Reith.

16

— C'est un prénom peu courant. D'où ça vient ? Ce ne serait pas d'origine galloise ?

— Je n'en ai pas la moindre idée.

— Bizarre, murmura la jeune femme.

Reith lui lança un rapide regard narquois.

— Vous connaissez avec précision l'origine de votre prénom, j'imagine ?

— Il se trouve que oui, justement, répliqua-t-elle avec le plus grand sérieux, alors que ses yeux pétillaient de malice. Je tiens mon nom d'une mine de diamant.

— Eh bien…

Reith marqua une pause avant de poursuivre :

— C'est un prénom qui vous va à merveille.

— Que voulez-vous dire ?

— Que vous savez certainement briller comme un diamant, et que vous en avez peut-être la dureté.

Kimberley se mit à rire tout en secouant sa belle chevelure bouclée.

— J'avais peur que vous me preniez pour quelqu'un qui rêve qu'on la couvre de pierres précieuses ! Je préfère votre explication.

Elle se rembrunit pour demander :

— Vous voulez savoir de quelle mine il s'agit ?

— Laissez-moi deviner. Serait-ce la mine de Kimberley en Afrique du Sud ?

— En plein dans le mille ! Vous êtes futé… euh… Reith. Peu d'Australiens connaissent le site de Kimberley en Afrique du Sud. En général on le confond avec la région de Kimberley au nord de l'Australie, qui est, elle aussi, réputée pour ses diamants.

Keith ne répondit rien.

— Puis-je encore emprunter votre portable ? demanda la jeune femme un peu plus tard. J'aimerais appeler l'hôpital pour savoir où en est Penny.

A l'hôpital, tout allait plus vite que prévu, et Kim s'exclama après avoir raccroché :

— J'aurai de la chance si j'arrive à temps.

— Cramponnez-vous, conseilla son compagnon du tac au tac.

Le reste du trajet se mua en une course effrénée, si bien que dix minutes plus tard ils étaient en vue de Bunbury, puis, très vite, devant l'hôpital.

— Merci de tout cœur, haleta Kim avant de descendre de voiture, je…

— Dépêchez-vous.

— Mais attendez-moi quand même, dit-elle avec autorité, je file aux nouvelles et je reviens. Le moins que je puisse faire est de vous tenir au courant. En plus, je vous dois de l'argent.

L'instant d'après, elle montait les marches de l'hôpital quatre à quatre.

Reith Richardson tergiversa quelques instants, puis remit le contact et s'apprêtait à s'en aller quand Kim réapparut.

— C'est un petit garçon ! Trois kilos et demi. Le bébé et la mère vont bien ! s'exclama-t-elle à la fenêtre de la portière. Je ne vous remercierai jamais assez. Mais j'ai encore un problème : je ne peux rien vous donner parce que j'ai oublié de prendre de l'argent.

— Je ne comptais pas vous faire payer deux appels téléphoniques, mademoiselle Theron. Oubliez cela, voulez-vous ?

— J'aurais quand même aimé vous dédommager, mais je n'ai rien. Cela m'ennuie d'autant plus que je voudrais offrir des fleurs à Penny quand on m'autorisera à monter l'embrasser. Il y a un fleuriste dans le hall de l'hôpital, mais…

La jeune femme n'alla pas plus loin, voyant Reith qui sortait de sa poche un billet de cent dollars qu'il lui tendit.

— Oh ! merci, vous êtes trop gentil ! s'écria-t-elle, mais il faut me donner votre adresse pour que je vous rembourse.

Reith ouvrit la bouche pour lui dire encore que c'était inutile, puis, brusquement, il changea d'avis.

— Dînons ensemble ce soir, mais ne venez que si vous en avez envie, proposa-t-il.

Il donna le nom d'un restaurant et l'heure où il y serait avant de démarrer sous les yeux d'une Kim interdite.

A 19 heures, ce même soir, il était installé à une table pour deux dans un élégant restaurant dominant la baie. C'était une soirée toute de bleu et d'argent : bleu sombre du ciel et de la mer, irisé par la pâle clarté argentée de la lune.

Mais Reith ne regardait pas la lune. Devant son verre de bière, il avait d'autres pensées en tête. Kimberley Theron viendrait-elle ? Pourquoi l'avoir invitée ? Qu'est-ce qui l'intriguait tant chez elle ?

Sa beauté, sa silhouette, ses jambes ? Certes, mais autre chose aussi…

— A quoi pensez-vous ? murmura l'objet de ses pensées en s'installant sur le siège face à lui.

Reith se leva et ne put retenir un sourire admiratif.

Kim avait troqué sa jupe en jean et sa chemise pour une robe sans manches en lin d'un rose poudré ravissant. Un collier en grosses perles de verre et des chaussures à talons compensés très hauts complétaient sa tenue, et ses somptueux cheveux libres sur ses épaules laissaient apparaître par instants des boucles d'oreilles en diamant.

Elle était somptueuse, aussi belle que l'après-midi, dans les circonstances rocambolesques où Reith avait fait sa connaissance, mais plus sophistiquée.

Une fois assise, elle porta un regard ravi sur la bouteille de champagne dans son seau à glace avant de s'exclamer :

— Comme je suis contente ! Contente de me poser

enfin, et contente à la perspective de boire une coupe de ce délicieux champagne bien frais.

Reith se rassit et elle ajouta :

— Il faut dire que j'ai eu une journée de fou.

— Comment cela ? Racontez-moi, mais d'abord comment vont le bébé et sa mère ?

— Les deux sont en pleine forme malgré le fait que l'enfant soit arrivé en avance et moi en retard. Vous n'avez pourtant pas ménagé vos efforts pour que je sois dans les temps, dit la jeune femme en riant.

Elle reprit son souffle avant de poursuivre :

— Pourquoi j'ai eu une journée de folie ? Je vais vous le dire : quand Penny m'a appelée, elle semblait paniquée. J'ai tout abandonné et…

La jeune femme sourit, puis déclara :

— Vous connaissez la suite. A propos…

Elle tira de son sac un billet de cent dollars qu'elle glissa en travers de la table en disant :

— Merci infiniment.

Sans toucher à la coupure, Reith interrogea :

— Vous avez récupéré votre voiture ?

Kim hocha la tête.

— On me l'a rapportée à l'hôpital, de sorte que j'ai pu rentrer me changer et tout le reste.

Elle but avec délectation une gorgée de champagne.

— Mmm… il est exquis. Dites-moi, Reith, que faites-vous dans la vie ?

— Un peu de ci, un peu de ça…

Elle le considéra avec attention. Il s'était changé lui aussi et portait une chemise à col ouvert bleu foncé sous une veste de sport bien coupée, en tweed très fin. Kim remarqua aussi à son poignet une montre de sport d'une marque prestigieuse. Il semblait en outre très à son aise dans ce restaurant chic et, pour ne rien gâcher, il était follement séduisant.

— Vous n'êtes guère précis, fit-elle observer, les yeux baissés sur sa coupe de champagne.

Son compagnon haussa les épaules.

— C'est pourtant vrai. Disons que j'achète des entreprises en difficulté et que je les renfloue.

Kim fronça les sourcils.

— Ça vous plaît ?

— Que voulez-vous dire ?

— Généralement on choisit un métier par vocation : on a envie d'être médecin, avocat, homme d'affaires, ou fermier, ou éleveur de bétail, que sais-je…

— Remonter des affaires est un défi, savez-vous ? Chaque fois, c'est différent, mais certains principes restent les mêmes : s'adapter au marché, analyser la demande, acheter les matières premières au coût le plus bas, augmenter au maximum la valeur ajoutée, et j'en passe… Cela reste vrai qu'il s'agisse de mode, de mines de diamant ou d'élevage de moutons. Et vous, que faites-vous ?

Kim prit un air modeste :

— J'enseigne l'anglais.

Comme son compagnon paraissait surpris, elle sourit en murmurant :

— Je pensais bien que cela vous étonnerait.

— Pourquoi ?

— Eh bien parce que… euh… j'ai la vague impression que vous n'avez pas une très haute opinion de moi, monsieur Reith.

Une lueur amusée apparut dans ses yeux bleus et elle ajouta :

— Pour être honnête, il ne s'agit pas d'une vague impression, mais plutôt d'une quasi-certitude.

— Vous avez bien failli me rayer de la liste des vivants cet après-midi, lui rappela-t-il.

Cette fois elle éclata de rire.

— Je vous ai dit que j'avais eu une journée de folie. D'habitude je suis une personne organisée.

Reith ne semblant pas convaincu, Kim reprit :

— Vous ne me croyez pas ? Ça n'est pas grave. Mais dites-moi, je meurs de faim. Pourrions-nous commander ?

— Bien sûr.

— Entre autres choses, j'ai également sauté mon déjeuner de midi et je n'ai rien mangé depuis ce matin. Alors avec votre permission, pour moi ce sera de la langouste. Elle est toujours excellente, ici, et je ne saurais trop vous la recommander.

— Prenez ce qui vous plaît, vous êtes mon invitée, marmonna Reith.

— Ah non ! Il n'en est même pas question. C'est un grand restaurant, et je tiens à payer au moins ma part. En fait, je pensais vous inviter.

Pour mieux me dominer, songea Reith, *ou me faire bien sentir que les Theron ne jouent pas dans la même cour que le commun des mortels.*

Comme il ne disait rien, la jeune femme insista :

— Oui, je pensais à vous inviter pour vous remercier d'abord de tout ce que vous avez fait pour moi, et ensuite pour cette bonne idée que vous avez eue de me proposer ce dîner, ce soir.

Kim avait achevé sa phrase sur le ton du murmure, et quand elle se tut leurs regards se croisèrent.

Avait-elle lu dans ses pensées ? Reith se le demandait sérieusement, et dans son esprit, une certitude commençait à s'imposer : il lui fallait cette jeune femme. Il la voulait dans ses bras, dans son lit, pour lui faire l'amour encore et encore...

— Vous pratiquez le surf ?

Dans la nuit fraîche, ils regagnaient la voiture à pas lents quand Reith posa la question.

— Bien sûr, répondit Kim sans hésitation.

— Bien sûr, répéta Keith avec une ironie bien perceptible.

Kim s'immobilisa pour lever les yeux sur lui. Elle était plutôt grande : un mètre soixante-dix au bas mot, à quoi s'ajoutaient ses talons compensés, mais il la dominait presque d'une tête, ce qui signifiait qu'il dépassait largement le mètre quatre-vingt. Un petit frisson saisit Kim. Non seulement il était très grand, mais aussi très bien bâti…

Cependant, pourquoi ce ton moqueur ?

— J'ai dit quelque chose d'idiot ?

Il lui prit la main pour la balancer comme l'aurait fait un gamin. Puis, haussant les épaules, il admit :

— Pas du tout. J'ai l'impression que vous faites tout parfaitement. Vous montez à cheval, nagez, surfez, jouez au tennis, au golf, pratiquez le piano, la peinture, le dessin et Dieu sait quoi d'autre, et…

— Assez ! s'exclama Kim, libérant sa main. Vous vous moquez de moi, n'est-ce pas ? Pour vous, parce que je suis riche, je suis oisive, même si je vous ai dit que je travaillais.

— Oisive, non, mais vous semblez sûre de vous comme quelqu'un qui a fréquenté les meilleurs collèges, puis une de ces écoles supérieures privées très chics et très chères, bref que vous avez l'éducation parfaite d'une jeune fille du grand monde. Mais dites-moi franchement, vous pratiquez tout ce que j'ai énuméré ?

— Je… Disons que je nage et je surfe, oui. Je monte à cheval aussi, et si je ne joue pas du piano, je fais de la harpe. Je joue au golf mais pas au tennis. Je parle bien espagnol, mais je ne pratique ni le dessin ni la peinture.

Ces derniers mots avaient été énoncés presque triomphalement.

— Cependant, dit encore Kim, sans me flatter, j'ai un bon œil pour l'art moderne et contemporain. Mais dites-moi, quel rapport avec le surf ?

— Si nous allions avec nos planches à Margaret River demain ?

Reith marqua une pause puis poursuivit :

— La météo est excellente, et on annonce une bonne houle.

Le regard de Kim s'éclaira.

— C'est une excellente idée, monsieur... euh... quel est votre nom, au fait ?

Elle nota le temps d'hésitation sans en comprendre la raison, mais son compagnon finit par dire :

— Richardson. Reith Richardson.

— Eh bien, monsieur Richardson, je serai ravie d'aller surfer avec vous demain. Je n'ai pas sorti ma planche depuis des lustres.

— Comment ferez-vous pour votre travail ? Vous pouvez vous absenter ainsi, sans préavis ?

— Pas du tout, non, mais je profite de RTT en ce moment, car j'ai fait plus d'heures qu'il n'est prévu dans mon contrat. Revenons à demain. Où voulez-vous qu'on se retrouve ?

— Busselton, cela vous irait ? J'ai un rendez-vous tôt là-bas, et si vous veniez m'y rejoindre, je n'aurais pas à repartir vous chercher. De là, nous prendrons une seule voiture.

— Parfait.

Sans que Kim s'y attende, il saisit sa main pour en embrasser le dos. Elle sentit sa gorge se nouer, alors qu'un frisson d'émoi purement physique la parcourait. C'est qu'il l'attirait, cet homme si grand, si sombre, si mystérieux ! Elle avait l'impression de le connaître un peu mieux, même si en réalité elle n'en savait guère plus sur lui qu'un peu plus tôt dans la journée.

Elle avait tout de même appris qu'il préférait le steak à la langouste et la bière au champagne, qu'il avait des mains propres et soignées, mais marquées de petites cicatrices comme si, à une époque de sa vie, il avait fait des travaux manuels. En outre, elle avait pu constater qu'il était bien élevé, et même cultivé.

Il libéra sa main en arrivant près du cabriolet, et dit alors :

— Essayez de ne plus faire le malheur d'autres pauvres bougres qui, pour vous éviter, finiraient leur course dans un arbre, mademoiselle Theron.

L'intéressée éclata de rire.

— Je tâcherai, promis.

— Ah, j'oubliais…

Reith sortit son portefeuille d'où il tira le billet qu'elle lui avait rendu à table.

— Tenez.

— Mais…

— J'ai envie de payer les fleurs de Penny, c'est tout. Bonsoir, Kim.

La jeune femme le dévisagea.

— J'ai comme l'impression que, quand vous avez une idée en tête, vous n'en démordez pas, dit-elle au bout d'un moment.

— On me l'a déjà dit, en effet, mais c'est faux, bien sûr.

Reith marqua une pause avant d'ajouter avec malice :

— Et si c'était le cas, nous serions deux, non ?

— C'est bien possible. Bonsoir, monsieur Richardson.

Sur la route du retour, Kim était d'humeur pensive. La lune nimbait d'argent la campagne alentour, mais elle n'y prêtait guère attention, tout occupée à s'interroger. Comment un homme qu'elle connaissait à peine pouvait-il la troubler à ce point ? Car inutile d'ignorer les frissons de plaisir qui l'avaient parcourue au simple contact de ses lèvres sur le dos de sa main. Ou alors elle se montait la tête ?

Non, décidément non, dut-elle admettre au moment où elle bifurquait sur la longue allée qui menait à Saldanha.

Adossé aux contreforts de la Darling Range, ce domaine où elle avait toujours vécu n'était pas une propriété comme une autre. Dans ce comté de Perth, à l'ouest de l'Australie, la nature se montrait particulièrement généreuse, offrant des paysages variés : longues plages de sable blanc, forêts très denses d'eucalyptus et de pins, et jardins luxuriants grâce à une terre très riche. Saldanha, sorte de microcosme réunissant tous les charmes de la région, jouxtait le célèbre vignoble de Balthazar, qui appartenait aussi à la famille Theron.

Les arrière-grands-parents de Francis Theron avaient quitté l'Afrique du Sud où ils étaient producteurs de vin depuis des générations pour s'installer en Australie, dans cette partie du pays où la nature du sol et les conditions climatiques étaient à peu près identiques à celles des environs du Cap, où se situaient leurs vignobles. Ayant apporté avec eux leur savoir-faire de viticulteurs, ils avaient rapidement donné à leurs vins de Balthazar une notoriété internationale. Leurs chais attiraient depuis longtemps les œnologues et amateurs de vin du monde entier, et la famille y organisait au moins une fois l'an des dégustations très prisées.

Quant à Saldanha, qui tirait son nom d'une crique bien abritée du nord du Cap, c'était depuis toujours la résidence familiale. Les Theron, en arrivant dans le pays, y avaient fait construire une belle maison inspirée des demeures coloniales hollandaises si appréciées dans la région ; avec ses pignons blancs et son toit couvert de chaume, elle avait fait école, et maintenant il s'en trouvait beaucoup de semblables, dans le comté.

En arrivant, Kim gara son cabriolet à sa place. Son chien, un amour de berger australien répondant au nom de Sunny Bob, lui fit la fête à son entrée dans la maison déserte. Ses parents étaient sortis, son frère Damien n'habitait plus Saldanha, bien qu'il y laissât ses chevaux, et c'était le jour de congé de la gouvernante.

Après avoir allumé, la jeune femme se débarrassa de ses chaussures, songeant toujours à Reith Richardson.

Que fallait-il penser de sa proposition d'aller faire du surf le lendemain ? En tout cas, c'était une excellente idée…

Kim s'immobilisa en bas de l'escalier pour tenter d'analyser ce qu'elle ressentait. L'homme l'intriguait, mieux, l'intéressait… et même peut-être davantage. Mais bien sûr, avant de se lancer, il fallait d'abord regarder où l'on mettait les pieds.

Un dicton qui devait revenir souvent la hanter dans les mois à venir…

Reith récupéra Kim à l'endroit convenu, le lendemain. Elle l'y attendait, adossée à son cabriolet, son chien assis à ses pieds.

— J'espère que cela ne vous ennuie pas, dit-elle tout de suite avant de faire les présentations : Reith, voici Sunny Bob, et toi, ajouta-t-elle au berger, je te présente mon ami Reith.

— Enchanté, déclara Reith d'un ton grave, mais il riait sous cape quand il tapota gentiment la tête de l'animal.

— C'est votre garde du corps ? demanda-t-il.

— Oh non ! protesta Kim. Sauf si d'aventure le besoin s'en faisait sentir.

Elle haussa les épaules avec malice avant de dire encore :

— Il adore la mer, et il adore aussi m'accompagner.

Reith contempla la jeune femme quelques instants : elle était en tenue de surf de couleur vive, avec les cheveux tirés en arrière, et ses lunettes de soleil stylées avaient dû, à elles seules, coûter une petite fortune.

— Vous êtes bien équipée, observa-t-il tout en transférant sa planche dans le 4x4.

Il regarda ensuite ce qui se trouvait dans le coffre du cabriolet pour demander en fronçant les sourcils :

— Vous avez aussi besoin de tout ce saint-frusquin ?

Kim eut un sourire amusé :

— Oui, absolument. Mettez tout dans votre coffre.

— Mais…

— Ce ne sont jamais qu'un parasol, deux chaises pliantes en toile, et une glacière contenant de quoi boire et manger. Il n'y a pas de quoi faire un drame, si ?

Reith finit par sourire :

— Je comptais vous emmener déjeuner quelque part.

— Oubliez vos bonnes intentions. Par une journée pareille, il faudrait être fou pour ne pas profiter de la plage.

Margaret River, une paisible rivière, donnait son nom à cette région côtière située entre deux caps, dont la ville du même nom était le chef-lieu. C'était un très bel endroit et l'un des paradis des surfeurs australiens.

Reith gara son 4x4 directement sur la plage. Le temps était idéal, et la houle, parfaite pour le surf.

Avec Kim ils se dépensèrent sans compter sur leurs planches, escortés par le chien qui appréciait autant qu'eux la mer et ses vagues bien régulières, et jappait de bonheur quand celles-ci se brisaient en de longues déferlantes d'écume neigeuse.

Plusieurs heures plus tard, Reith assis dans un fauteuil de toile, une bière dans une main, une cuisse de poulet dans l'autre, observa :

— Vous êtes un génie. Comment saviez-vous qu'un poulet froid et de la bière — ou du vin pour vous — complétaient si bien une bonne matinée de surf ?

Kim eut un petit rire amusé.

— Tout le monde le sait.

Elle s'étira sur son siège en toile avant de boire une gorgée de vin. Epuisé lui aussi, Sunny Bob était allongé à ses pieds près d'un bol d'eau fraîche.

En sortant de l'eau, Kim s'était drapée dans un paréo rose avant de s'occuper du pique-nique. A présent, il était près de 14 heures, et des petits nuages s'effilochaient dans le ciel comme des lambeaux de coton. La marée baissait de sorte que le bruit du ressac était assourdi, mais le goût du sel dans l'air restait bien perceptible.

— Pourquoi m'avoir proposé de venir faire du surf ? demanda soudain la jeune femme sans que rien ne laisse prévoir sa question.

— Pourquoi ne l'aurais-je pas fait ?

La jeune femme hésita.

— Ce n'est pas classique pour un homme d'affaires.

Elle sourit pour s'exclamer :

— Non que je m'en plaigne, au contraire, mais... qu'il s'agisse d'avocats, de médecins, de directeurs de société, ils vous invitent à déjeuner, à dîner ou à un cocktail, parfois au théâtre, occasionnellement en boîte le soir. Il arrive, mais c'est l'exception, qu'ils vous proposent une sortie sur leur yacht, ou un après-midi aux courses, mais la plupart du temps ils sont bien trop occupés à gagner de l'argent pour perdre une matinée à faire du surf.

— Je passe le plus clair de mes journées à mon bureau. Encore que...

Reith n'alla pas plus loin, mais la jeune femme le pressa.

— Qu'alliez-vous dire ?

— J'ai d'abord travaillé dans une grosse station d'élevage, puis dans une mine.

— J'y avais vaguement pensé.

— C'est si évident ?

— Non, dit Kim, mais vous avez les mains de quelqu'un qui s'en est servi pour travailler.

Reith abaissa les yeux sur ses paumes calleuses, et fit la grimace avant de déclarer :

— Quoi qu'il en soit, j'adore la mer, comme la plupart des gens qui ne l'ont découverte qu'à l'adolescence.

— Vous êtes né dans le bush ?

— Oui. Autant dire au fin fond de la cambrousse.

Kim sourit.

— Vous êtes marié ?

Reith se redressa sur son siège.

— Pourquoi cette question ?

— Parce que, d'après ma copine Penny, les hommes vraiment intéressants sont tous mariés. Alors dites-moi, vous l'êtes ou vous ne l'êtes pas ?

— Je ne le suis pas mais je l'ai été, et ma femme est morte.

Kim écarquilla ses grands yeux bleus, horrifiée.

— Morte, dites-vous ? De quoi ?

— D'une complication très rare après son accouchement.

— Et… et le bébé a survécu ?

— Oui, il s'appelle Darcy et a dix ans maintenant.

Kim baissa les yeux.

— Oh ! je suis navrée… vraiment navrée.

— Merci.

Reith eut alors un petit sourire pour demander :

— Que pensez-vous que Penny va en conclure ?

Kim haussa les épaules :

— Vous classer dans les inclassables, sans doute.

— Comment en êtes-vous venues à parler de moi, toutes les deux ?

Cette fois la jeune femme parut embarrassée.

— Je suis passée la voir ce matin avant notre rendez-vous, et il a bien fallu expliquer pourquoi j'étais en tenue de surf.

— C'est normal.

Kim ferma un instant les yeux avant de déclarer :

— Vous savez, depuis que Penny est mariée, elle ne cesse de me décrire la vie conjugale comme le bonheur parfait, et le seul qui existe au monde. N'empêche qu'elle ne voudrait pas que je tombe amoureuse d'un homme marié.

— Je crois entrevoir où vous voulez en venir, rétorqua Reith avec le plus grand sérieux.

Kim lui jeta un petit regard agacé.

— Vous vous moquez et j'ai l'impression d'avoir douze

ans. C'est naturel, quand même, de vouloir savoir si vous êtes… oh, et puis zut ! Cela n'a pas d'importance !

D'un bond elle se leva, se débarrassa de son paréo et courut sur le sable chaud jusqu'à la mer, Sunny Bob tout joyeux à sa suite.

Reith fut le dernier à la rejoindre dans l'eau.

— Savez-vous une chose ? lui dit-il. J'aimerais bien connaître votre Penny.

Kim s'immobilisa, écarquillant de grands yeux ronds.

— Ça alors ! Et pourquoi donc ?

— C'est grâce à elle que je vous ai rencontrée. Et puis elle serait peut-être rassurée de me voir.

S'il se moquait encore, il le cachait bien et il la regardait avec une telle intensité que la jeune femme dut détourner les yeux tant ce regard la troublait. Il est vrai qu'il était superbe en maillot de bain : la peau dorée, les muscles parfaitement proportionnés, longs et puissants, et sur sa poitrine ce duvet sombre et dru où Kim rêvait d'enfouir les doigts… A cette pensée, son souffle s'accéléra.

Elle sentit alors la main de son compagnon sur son bras, et leva les yeux sur lui. Leurs regards se soutinrent, graves et intenses, et Kim sut alors avec certitude que cet homme la désirait.

Ce fut l'instant que choisit Sunny Bob pour rompre le charme. En un bond, il était entre eux et y resta.

— Sauvée par le gong, murmura Reith en abandonnant la main de la jeune femme.

Celle-ci ouvrit de grands yeux.

— Vous parlez de Sunny Bob ?

— Oui, j'ai l'impression qu'il m'a à l'œil et s'il pouvait parler il me dirait : « Attention, bas les pattes ou gare à toi ! »

Kim ne put s'empêcher de sourire.

— Rassurez-vous, je ne lui permettrais pas de vous attaquer.

— Merci, mais voyez-vous, ayant déjà échappé de

justesse à la mort à cause de vous, je ne veux plus prendre de risque. Vous aimez danser ?

Kim le regarda sans comprendre.

— Bien sûr, mais quel rapport ?

— Quand vous allez danser, Sunny Bob vous accompagne ?

— Bien sûr que non ! Pourquoi ?

— Je me disais que si je vous emmenais danser quelque part, ce serait plus facile de vous prendre dans mes bras sans que votre chien se méprenne sur mes intentions.

Kim éclata de rire.

— Ce n'est pas si drôle, fit gravement valoir Reith.

— Où voulez-vous en venir au juste ?

— Désolé, mais voilà que je tombe dans la catégorie des hommes d'affaires dont vous parliez un peu plus tôt : je me demandais si vous dîneriez ce soir avec moi, et après nous pourrions aller danser…

La jeune femme porta sur lui son regard bleu plein de malice.

— Désolée aussi de vous avoir fait courir tant de risques, monsieur Richardson, déclara-t-elle avec le plus grand sérieux. Votre suggestion pour ce soir me plaît infiniment, et je vous promets de tout mettre en œuvre pour que vous ne couriez aucun danger avec moi. Cependant, il faudra que je rentre chez moi ramener mon chien et me changer, avant de retourner à Bunbury et…

— Je vous enverrai une voiture et un chauffeur, la coupa-t-il.

Kim fronça imperceptiblement les sourcils, se demandant pourquoi il ne venait pas la chercher lui-même, et il dut lire ses pensées car il se justifia aussitôt :

— J'ai pas mal de travail à boucler… la rançon d'une matinée de surf.

— D'accord, je comprends.

— 19 h 30 chez vous, cela vous convient ?

— Tout à fait, mais je pourrais prendre ma voiture.

— Non.

Le ton était léger mais définitif.

— Voilà un bel exemple de votre autoritarisme !

— Pas du tout. Je ne songe qu'à votre sécurité et à votre confort.

De nouveau il se moquait et Kim hésita, près de le remettre en place. Mais finalement elle choisit de sourire.

— Dans ce cas, merci beaucoup.

2.

La maison était déserte quand Kim rentra à Saldanha. Rien d'étonnant : quand ils n'étaient pas en voyage, ses parents, très mondains, allaient souvent à Perth pour des dîners et autres réceptions.

Depuis deux ans, Kim enseignait dans un internat privé où elle s'installait pendant les périodes scolaires. Elle rentrait en revanche à Saldanha pour les vacances et y gardait l'essentiel de ses affaires, ses vêtements compris. Une chance car ce soir elle pourrait peaufiner sa tenue pour sortir avec Reith Richardson.

Elle monta directement dans sa chambre, sa pièce de prédilection. Quand elle avait réussi son bac, sa mère lui avait laissé carte blanche pour la faire décorer à son goût. Elle avait donc créé un décor qui lui plaisait, dans un camaïeu de bleu. Elle s'y sentait bien, et c'était là qu'elle se retirait pour lire, jouer de la harpe, et parfois songer à la vie qu'elle mènerait plus tard.

Elle prit une douche et se lava les cheveux, réfléchissant à sa tenue pour le soir puis, sa décision prise, elle se remémora en détail sa journée. Mais à peine avait-elle évoqué l'image de Reith qu'un délicieux frisson d'émoi la parcourut, infiniment troublant.

C'est grave, pensa-t-elle. *Ou je tombe amoureuse, ou je succombe à une attirance physique incoercible. Etrange, quand il ne m'a même pas touchée... ou plutôt si...*

— Tu ne lui as pas caché ce que tu en pensais, toi, dit-elle à Sunny Bob, assoupi sur le tapis, à côté d'elle.

Le chien dressa une oreille et remua la queue avant de se rendormir.

Que serait-il arrivé sans Sunny Bob ? Le cœur de Kim s'accéléra : elle aurait été follement heureuse dans les bras de Reith, elle le savait. Rien que d'y penser, elle était bouleversée, et elle saisit son flacon de parfum pour en appliquer la paroi de verre froide contre sa joue en feu.

Pas d'emballement, Kim, s'adjura-t-elle. Garde le contrôle de la situation. Tu ne sais presque rien de cet homme…

Justement, s'il était presque un inconnu, pourquoi elle, pourtant raisonnable d'habitude, n'était-elle plus elle-même avec lui ? Avait-elle inconsciemment voulu relever le défi parce que, dès leur premier contact, elle avait cru sentir qu'il la jugeait de façon plutôt négative ? En tout cas, elle s'était laissé prendre au jeu. Et d'ailleurs s'il ne l'estimait pas, pourquoi lui proposer de la revoir ?

Secouant la tête, la jeune femme entreprit de s'habiller. Elle avait opté pour un ample pantalon de soie gris foncé très fluide, assorti d'un débardeur en lamé argent, au décolleté plongeant dans le dos. Elle ne porterait ni bijou ni soutien-gorge, mais des sandales noires à hauts talons. Quant à ses cheveux, elle les tirerait en arrière en un chignon sobre mais chic.

Pas trop habillée, pas trop sport, juste ce qu'il fallait, décida-t-elle un moment plus tard en se regardant dans la glace en pied. Le soleil et le surf lui avaient donné un teint lumineux, mais dans ses yeux bleus une certaine gravité indiquait qu'elle n'était pas tout à fait sûre d'elle.

S'approchant de sa harpe, elle en pinça quelques cordes. Sa vie amoureuse avait été longtemps chaotique et puis peu à peu elle avait appris, souvent à ses dépens, à distinguer l'ivraie du bon grain, c'est-à-dire à repérer les coureurs de dot. Or ils étaient nombreux, ceux que la fortune de sa famille attirait, de sorte que Kim était devenue méfiante.

Quelle raison y avait-il de classer d'emblée Reith Richardson parmi ces hommes intéressés ?

Apparemment aucune, mais Kim le connaissait si peu.

Elle fronça les sourcils. Un trait de caractère lui paraissait certain chez lui : il avait de l'autorité. Et il ne se livrait pas facilement, elle en était certaine.

Le bruit d'une voiture remontant l'allée la tira de ses pensées. *Pas d'emballement, Kim,* s'adjura-t-elle une nouvelle fois en prenant son sac.

Quelques heures plus tard, elle ondulait dans les bras de Reith et levait les yeux vers lui.

— Tu écoutes parfois la voix de la raison ? demanda-t-elle à voix très basse.

Le tutoiement leur était venu spontanément, tant la danse avait créé d'intimité entre eux. Il est vrai qu'ils dansaient depuis des heures sans voir passer le temps, dans ce night-club très élégant, au second étage d'un immeuble ancien magnifiquement rénové.

Reith inclina la tête pour la regarder avec une expression indéchiffrable.

— Cela m'arrive, oui. Et toi ?

— Pas toujours. Pas assez souvent.

La jeune femme appuya la tête contre l'épaule de son cavalier et ils continuèrent à danser ou plutôt à osciller l'un contre l'autre au rythme très voluptueux de la musique.

Comme elle s'en était doutée, entre les bras de Reith, elle se sentait merveilleusement bien. En fait, dès qu'elle l'avait vu en entrant dans le restaurant, son cœur s'était emballé, tant il était beau et séduisant dans son costume sombre coupé à la perfection. Et, en cet instant, elle avait eu une conscience suraiguë de sa virilité et du trouble que celle-ci opérait en elle.

Sitôt qu'ils avaient commencé à danser, en même temps

qu'elle s'abandonnait langoureusement au rythme de la musique, des vagues de sensualité l'emportaient à leur gré, lui donnant l'impression d'être légère comme une plume, et de tourbillonner, ivre de plaisir.

— Et ce n'est pas très malin, ajouta-t-elle dans un souffle. Je…

A cet instant, la musique s'arrêta et l'un des musiciens annonça une pause. Kim regagna leur table, suivie de son compagnon qui aussitôt lui proposa de reprendre du champagne.

Elle déclina.

— Je voudrais juste un verre d'eau glacée.

— Ce n'est pas une mauvaise idée, admit Reith. Qu'est-ce qui n'est pas très malin, disais-tu ?

— De ne pas écouter la voix de la raison, surtout en ce moment, admit la jeune femme. Je voulais prendre les choses lentement, très lentement avec vous, monsieur Richardson. Or passer la nuit à danser ensemble ne faisait pas partie du programme.

Kim eut un petit sourire triste pour ajouter :

— Tu as le même problème que moi ?

Reith haussa un sourcil.

— Tu veux parler de mon incapacité à te tenir à distance ?

— On peut le dire ainsi.

Le serveur arriva avec leurs verres d'eau fraîche, et quand il se fut éloigné Kim poursuivit :

— N'empêche que nous devrions…

Comme elle semblait chercher ses mots, son compagnon vint à son aide sur un ton amusé.

— … ne pas foncer tête baissée ? C'est mon avis aussi.

— C'est cela, soupira la jeune femme, et cette fois, elle était vraiment triste.

Reith la considéra un long moment.

— Cela t'ennuie que ce soit moi qui suggère de réfléchir ? finit-il par demander

— Non. J'ai plutôt eu l'impression que tu te moquais de

moi, comme si tu paraphrasais les mots que je cherchais et que tu avais devinés.

— Non, j'ai choisi ce détestable cliché pour exprimer ce que je pense vraiment.

Reith avança la main en travers de la table pour prendre celle de la jeune femme, et ils échangèrent un long regard. Puis, consultant sa montre, il annonça contre toute attente :

— J'ai demandé au chauffeur d'être ici à minuit pour te raccompagner.

Kim retira sa main.

— Voilà qui résout notre problème ! Cendrillon rentre à la maison avec son carrosse.

Reith sans relever demanda alors :

— Il te reste encore un peu de temps libre avant de reprendre ton enseignement ?

Le changement de sujet prit la jeune femme au dépourvu.

— Oui, j'ai encore deux jours de congé.

— Demain, pourrais-tu m'aider à choisir des tableaux ?

Comme Kim écarquillait les yeux sans comprendre, il expliqua :

— Tu m'as dit que tu t'y connaissais en art moderne et contemporain.

— Pourquoi veux-tu acheter des tableaux ?

— Pour décorer mes nouveaux bureaux. Ceux qu'a choisis mon architecte d'intérieur ne me plaisent pas.

Kim réfléchit avant de hausser les épaules.

— D'accord, j'irai avec toi. Je connais quelques galeries sérieuses.

Elle considéra ensuite son compagnon avant de faire observer :

— Tu es drôlement malin.

— Pourquoi ?

— Tu as désamorcé la tension entre nous. Nous dansions comme deux amoureux éperdus, et maintenant nous parlons art et galerie avant que je sois réexpédiée chez moi comme Cendrillon !

Posant les coudes sur la table, la jeune femme se prit le menton dans les mains pour regarder son compagnon :

— J'ignore pourquoi tu te débarrasses de moi, Reith, mais c'est vrai, il ne faut jamais foncer tête baissée.

Repoussant sa chaise, Reith se leva et l'invita à en faire autant. Il l'entraîna alors hors de la salle de danse, puis le long d'une étroite coursive donnant sur un petit balcon, au-dessus de la rue. Là, après un rapide regard en bas, il se tourna vers la jeune femme et, la prenant dans ses bras, l'embrassa avec fougue.

Avec une telle passion que, quand leurs lèvres se séparèrent, Kim ne put que souffler son nom, éperdue tant le désir la dévastait, la privant de toute pensée…

— Oui, Kim ?

— Pourquoi… m'as-tu… embrassée ? balbutia-t-elle.

Les yeux sombres de Reith se posèrent sur les lèvres gonflées, puis sur la ligne gracieuse de la gorge, et enfin sur l'arrondi des seins sous le débardeur de soie grise.

— J'en avais envie, c'est tout.

— Mais je croyais… C'est toi qui ne voulais pas…

Reith haussa les épaules :

— C'est toi qui te prends pour Cendrillon qu'on renvoie chez elle, toi qui penses que je veux me débarrasser de toi. Je n'ai jamais rien dit de tel.

Kim ouvrait la bouche pour protester quand une limousine noire apparut en bas dans la rue, et se gara sans bruit le long du trottoir. La jeune femme attendit qu'elle soit immobilisée pour regarder de nouveau son compagnon.

— Et alors ? s'enquit-elle.

— Alors, je voulais que les choses soient claires : je crois en effet que nous devons nous montrer prudents, mais je préférerais, et de loin, ne pas te réexpédier chez toi, comme tu dis.

Levant les yeux, Kim vit qu'il riait sous cape, mais en même temps son regard était mélancolique.

— Tu parles sérieusement ? demanda-t-elle, et sans

attendre la réponse, elle avoua : En tout cas, ça me fait du bien que tu le dises.

Puis, comme si elle regrettait son aveu, elle poursuivit, factuelle :

— Demain, on se retrouve où et à quelle heure ?

— Dis-moi ce qui t'arrange.

La jeune femme réfléchit, puis proposa un rendez-vous.

— Parfait.

Reith inclina la tête pour l'embrasser légèrement, murmurant :

— Bonne nuit. Dors bien.

De retour à Saldanha, Kim enfila un pyjama de soie noire avant de s'asseoir à sa coiffeuse, dans sa salle de bains.

Sunny Bob l'avait accueillie avec enthousiasme à son arrivée, marquant cependant une certaine perplexité parce qu'elle débarquait d'une limousine inconnue. A présent, complètement rassuré, il était allongé à ses pieds, et la regardait se démaquiller avec soin.

Mais les pensées de la jeune femme vagabondaient. Ou plutôt elles tournaient en rond autour d'un seul objet : Reith Richardson.

Pourquoi avoir organisé son retour à la maison ? Parce qu'il voulait garder le contrôle de la situation ? Ou parce qu'il ne voulait pas précipiter les choses, comme il l'avait dit ? N'empêche que Kim en était humiliée. Maintenant qu'elle était seule et considérait la situation avec davantage de recul, il lui semblait que c'était elle qui poussait leur relation de l'avant alors que lui ne tenait pas à s'engager davantage. Et cela aussi était humiliant.

Pourtant ce n'était pas tout à fait vrai. C'était Reith qui, chaque fois, suggérait les occasions de la revoir : ainsi le surf, ou encore demain l'achat de tableaux. Mais il cherchait en même temps à freiner l'évolution de leurs rapports. Pourquoi ? Pour se protéger ? Ou parce qu'il continuait à considérer Kim Theron comme une fille à papa riche et capricieuse ?

Incapable de répondre à ces questions, Kim s'enduisit le visage de crème de nuit et, finalement, se décida à se coucher. Mais le sommeil n'était pas au rendez-vous ; elle se retourna dans son lit jusqu'à l'aube, et il faisait presque jour quand enfin elle s'assoupit.

3.

— Tu n'as pas l'air bien. Tu as mal dormi ?

— Affreusement mal, répondit Kim d'un ton sec.

— Si ça peut te consoler, moi aussi, rétorqua Reith.

Ils se trouvaient dans une galerie d'art que connaissait la jeune femme, devant des toiles proposées par la galeriste qui les avait laissés en tête à tête pour faire leur choix. Kim arborait une minijupe de cuir noir, assortie d'un ample haut rouge vif. Chaussée de sandales à hauts talons compensés, avec ses somptueux cheveux libres sur les épaules, elle était vraiment très belle, malgré ses légers cernes sous les yeux.

— Pourquoi cela me consolerait-il ? riposta-t-elle, mordante. Oh ! et puis quelle importance ! Tu sais, c'est difficile de choisir des tableaux sans savoir où ils vont aller.

— Je t'ai apporté les plans des bureaux.

— Il faut aussi être réceptive, s'entêta la jeune femme.

Reith s'immobilisa.

— Tu m'as l'air de bien méchante humeur. C'est la mauvaise nuit ?

— Non.

Reith haussa les épaules.

— Alors c'est peut-être parce que nous n'avons pas fait l'amour, hier soir. La frustration sexuelle peut rendre très agressif.

Kim le fusilla du regard. Mais comment nier l'émoi qui

la saisissait à la seule évocation de la nuit qu'ils auraient pu passer ensemble ?

— Certainement pas, lança-t-elle, furieuse, et elle allait ajouter une remarque blessante quand il la coupa :

— Tu as mangé ce matin, avant de partir ?

— Non.

— Pourquoi ?

— Je suis sortie à cheval. Après, je n'avais plus le temps.

Reith prit la jeune femme par le bras.

— Viens.

— Où ? Nous n'avons encore rien choisi.

— Ne discute pas.

Haussant les épaules comme pour signifier qu'elle se moquait de tout, elle se laissa entraîner.

Une heure plus tard, elle terminait une succulente omelette aux champignons dans une brasserie toute simple mais sympathique où Reith l'avait conduite.

— Tu avais raison, admit-elle, portant sur lui un regard faussement confus, j'avais faim. Ça va beaucoup mieux maintenant.

— C'était seulement la faim qui te mettait de mauvaise humeur ?

Elle leva les yeux au ciel.

— Ah, ne recommençons pas, s'il te plaît !

Puis elle sourit au souvenir des tourments qui l'avaient empêchée de dormir, la nuit précédente :

— Enfin, soyons honnêtes, reprit-elle, l'absence de petit déjeuner n'était pas seule en cause, mais d'une façon générale j'ai du mal à être malheureuse longtemps.

— Malheureuse ?

— Troublée, plutôt. Je ne comprends pas à quel jeu vous jouez, monsieur Richardson. Je n'arrive pas à saisir si je vous plais ou pas.

Leurs regards se croisèrent et se soutinrent, et comme Reith ne disait rien la jeune femme poursuivit :

— J'ai le sentiment qu'avec moi tu fais un pas en avant, puis deux en arrière, et cela me déconcerte.

— Tu essaies de me dire que je devrais me montrer plus pressant et essayer de te faire l'amour sans plus attendre ?

Kim sourit, mais ses yeux exprimaient soudain une étrange froideur.

— Non, mais je sens que tu me juges, et pas forcément en bien. Alors il y a des moments où j'ai l'impression que je te plais, et parfois, au contraire, je sens que tu prends tes distances, comme si tu te méfiais.

— Tu es sérieuse ?

— Oui, et j'ai aussi le sentiment que toi, tu n'as besoin de personne. Tu es un solitaire.

— Tu préférerais te battre avec une armée de rivales ?

— Non, évidemment, et d'ailleurs cette conversation commence à me fatiguer. On dirait que tu fais exprès de ne pas comprendre. Revenons aux choses sérieuses et montre-moi les plans de tes bureaux.

Reith les sortit pour les étaler sur la table. Après les avoir regardés avec attention, la jeune femme murmura :

— C'est très beau.

Puis, relevant la tête, elle demanda :

— Quel genre de peinture aimes-tu ? L'abstrait ? Le figuratif ? Pourrais-tu vivre entouré de tableaux un peu… disons… euh… surréalistes ?

Reith but une gorgée de café.

— Disons que je m'arrangerais très bien de peintures plutôt non conventionnelles.

— Parfait. Y a-t-il des genres que tu détestes : par exemple, moi, je ne supporte pas les marines. Je ne sais pas pourquoi, mais c'est ainsi.

Reith sourit.

— Non, je n'ai pas ce genre de phobie.

Il se frotta lentement le menton avant de reprendre :

— J'ai vu il n'y a pas si longtemps une exposition d'art aborigène qui m'a fasciné. Les œuvres dégageaient une étrange force primitive. J'ai du mal à l'expliquer, mais devant certaines pièces je me suis senti plus vivant.

Kim s'était redressée sur son siège.

— Pourquoi ne pas me l'avoir dit plus tôt ?

— Tu sais où en trouver ?

— J'ai des amis qui se fournissent directement chez les aborigènes : ils connaissent des peintres qui vivent encore selon la tradition d'autrefois, et savent exprimer la magie de leur culture dans leur art.

Kim sortit son portable de son sac avant de soupirer :

— Espérons que ces amis ne sont pas partis à la chasse au trésor dans le désert !

Ils n'y étaient pas, et Kim put emmener Reith à leur galerie. Ils passèrent l'après-midi à faire leur choix, puis à décider des encadrements. Reith proposa ensuite à la jeune femme de dîner ensemble, et Kim accepta, à la condition de repasser chez elle se changer. Elle reviendrait à Bunbury avec sa voiture, déclara-t-elle. Inutile de lui envoyer une limousine.

Reith se contenta de hocher la tête avant de demander :

— Où veux-tu que je t'emmène ?

La jeune femme réfléchit un instant.

— Je rêve d'une bonne *pasta* ! s'exclama-t-elle avec cet enthousiasme qui lui était caractéristique. A condition que tu aimes aussi.

Reith adorait la cuisine italienne, assura-t-il.

— Dans ce cas, je connais la meilleure pizzeria du monde.

Kim nomma le restaurant, et ils convinrent de s'y retrouver.

La nuit commençait à tomber quand la jeune femme, après avoir garé son cabriolet dans la rue, gagna le restaurant à pied. Elle s'était changée, et avait choisi une longue robe aérienne et souple d'un beau ton de flamme strié de blanc, ainsi que des nu-pieds à épaisses semelles compensées. Ses cheveux tombaient librement sur ses épaules, et elle portait un petit sac de cuir doré.

Reith, qui l'attendait devant l'entrée de la pizzeria, la vit arriver de sa démarche élégante et sportive, sa robe soulignant avec grâce les courbes de sa silhouette tout en flottant, ample et gracieuse, au rythme de ses pas.

Elle s'arrêta à moins de un mètre de son compagnon et frissonna sous l'intensité de son regard : un regard concentré, comme obnubilé, qui la détaillait, la déshabillait, la dévorait littéralement. C'en était presque gênant, mais très érotique, et Kim sentit son pouls s'accélérer, tandis qu'un étrange émoi naissait au creux de ses reins.

Mais, déjà, le charme était rompu, et Reith lui prenait la main pour la porter à ses lèvres.

— Tu es éblouissante, dit-il. Viens, rentrons manger.

Sans bouger, la jeune femme hésita, puis murmura :

— Il ne faut pas me faire des choses pareilles. Surtout en public, Reith.

Loin de feindre de ne pas comprendre, son compagnon s'excusa.

— C'était plus fort que moi.

Et il ajouta avec malice :

— Je me contrôle mieux quand je vois tes jambes.

Kim ouvrit de grands yeux faussement étonnés.

— Mais la première fois que tu les as vues, tu as failli t'écraser contre un arbre.

— Je me suis endurci, et heureusement. N'empêche que quand je ne les vois pas, comme ce soir, je les imagine et voilà le résultat.

Kim feignit de prendre un air sévère.

— Reith Richardson, tu me fais du baratin, et je dois avouer que ça me plaît.

L'interpellé fronça les sourcils.

— Hum… comment cela ?

— Le jour où je te renverrai dans tes buts, tu comprendras que ça ne me plaît plus. Maintenant si tu veux bien, allons manger, je meurs de faim !

Il régnait dans le petit restaurant italien une agréable atmosphère familiale. Des bougies plantées dans des bouteilles de chianti éclairaient les tables habillées de nappes à carreaux, et la carte, écrite à la main, proposait en italien un choix de pâtes dont Kim chanta les louanges, ajoutant :

— Ici, la *pasta*, c'est du grand art.

Reith eut un petit sourire sardonique.

— Tu n'aurais pas des intérêts dans la maison, par hasard ?

— Bien sûr que non ! protesta vivement la jeune femme qui ajouta avec malice : Je ne serais pourtant pas étonnée de recevoir une bouteille de champagne ou une boîte de chocolats pour Noël.

Prenant son verre de vin que le serveur venait de remplir, elle le leva pour trinquer :

— Aux tableaux que tu viens d'acheter. J'espère que tu les regarderas longtemps avec plaisir.

— Merci de ton aide, rétorqua Reith. Maintenant, quelles pâtes vas-tu choisir ?

La conversation roula ensuite sur des sujets superficiels jusqu'à ce qu'arrivent les plats qu'ils avaient commandés. Reith suggéra alors :

— Si nous reprenions notre conversation de ce matin ?

Tu semblais te plaindre que mes intentions à ton égard ne soient pas claires.

Kim, après avoir goûté à ses *fettucine a la marinara*, porta sa serviette à ses lèvres.

— Humm… délicieuses ! Je te disais que je ne savais pas si je te plaisais ou pas. Eh bien, réponds-moi : c'est oui ou c'est non ?

— Si c'était oui, ça te poserait problème ?

— Certainement, rétorqua aussitôt la jeune femme.

— Ce n'est pas l'impression que j'ai eue hier soir quand nous dansions.

Kim eut un geste évasif de la main.

— Hier, c'était une chose, aujourd'hui, c'en est une autre.

Elle jeta un regard rapide à son compagnon avant de se concentrer sur ses *fettucine*.

Mais Reith ne se le tenait pas pour dit.

— Et demain, qu'en sera-t-il ?

— Demain, je suis en congé.

— Je sais, tu as encore un jour de vacances.

— Je voulais dire que demain je suis en congé de toi, nous ne nous verrons pas.

Reith ne cilla pas, se contentant de soupirer :

— Quel dommage ! J'espérais que tu m'accompagnerais à Clover Hill voir des yearlings.

Kim ouvrit de grands yeux stupéfaits.

— Des chevaux, tu veux dire ?

Reith eut un sourire condescendant.

— A ma connaissance, on n'élève pas d'autres animaux là-bas.

La jeune femme détourna la tête avec agacement.

— Je le sais bien. Tu t'intéresses aux chevaux de course ?

— Oui.

— Tu en possèdes ?

— Oui.

— Et le haras est ouvert aux visiteurs demain ?

— Non. On m'accorde une visite privée.

Cette fois, Kim fut vraiment surprise.

— Une visite privée ! répéta-t-elle, incrédule.

Reith se contenta de hausser les épaules.

Le haras de Clover Hill était en effet connu dans toute l'Australie et, partant, c'était un endroit très fermé. Il s'y trouvait certains des meilleurs étalons du monde, dont les saillies avaient donné des champions légendaires. En outre, les installations étaient magnifiques, avec en particulier une très belle maison de maître entourée de jardins merveilleux. Si Reith Richardson s'était cassé la tête pour proposer à Kim une sortie qu'elle ne pourrait pas refuser, il avait tapé dans le mille. Mais bien sûr, il ne s'était pas cassé la tête, la « visite privée » était organisée depuis des mois et…

— Alors, tu m'accompagnes demain, ou pas ?

Kim secoua la tête.

— Tu es décidément très fort, admit-elle. Je ne vais pas te mentir : je ne connais pas Clover Hill et, merci, je serai très heureuse d'y aller avec toi.

— Tu aimes les chevaux, me semble-t-il ?

— Je monte depuis l'âge de six ans, et mes parents font courir des pur-sang. Mais… mais attends un peu… Penny rentre chez elle demain. Elle n'a pas vraiment besoin de moi, sa mère et son chéri seront là pour l'accueillir, pourtant j'ai promis de passer un moment avec elle le matin. Je ne serai donc pas libre avant le déjeuner.

Reith se cala contre le dossier de son siège.

— Tu t'occupes bien de tes amies !

— C'est normal, non ? Alors si…

— Ça ne pose pas de problème à condition qu'on se retrouve sur place à 14 heures.

Kim eut un sourire radieux.

— Vendu, monsieur Richardson !

Ses parents étaient à Saldanha quand Kim revint ce soir-là, mais ils étaient couchés et elle ne les vit pas. Le lendemain matin, au petit déjeuner, sa mère apprit à la jeune femme que son père ne se sentait pas bien et resterait au lit.

— Il a vu un médecin ? demanda Kim, très surprise.

— Non, soupira Fiona Theron en resserrant les pans de son joli peignoir de soie, mais je vais m'occuper de lui. Je ne le quitterai pas de la journée. Parle-moi de toi, ma chérie, qu'as-tu fait ces derniers jours ?

Une obscure raison poussa Kim à ne rien dire à sa mère de Reith Richardson. Elle lui fit en revanche une description lyrique du bonheur de Penny et du merveilleux bébé qu'elle venait de mettre au monde.

Mary Hiddens, la gouvernante, entra alors dans la pièce avec la cafetière.

— Bonjour, Mary, comment va la petite famille ? demanda Kim en se servant de bacon croustillant qu'elle coucha sur des toasts dorés à souhait.

— Tout le monde va bien, merci, répondit Mary, et se tournant vers Fiona dont l'assiette était vide, et qui lui tendait sa tasse pour avoir du café, elle dit encore, sur un ton presque gêné cette fois : il faut manger un peu, madame.

— Je n'ai pas beaucoup d'appétit, vous le savez, Mary.

Celle-ci hésita avant de se retirer, et Kim dévisagea alors sa mère.

— Tu ne fais pas de régime, tout de même, maman ? Tu n'en as pas besoin, tu le sais.

— Non, non… Dis-moi, tu retournes à Espérance demain, je crois ?

— Oui, mais pas pour longtemps. Les vacances commencent bientôt, et je pourrai passer plus de temps à la maison.

— Tant mieux, dit Fiona d'un air distrait, qui étonna Kim.

A cet instant, son père appela. Fiona se leva.

— Veux-tu que je téléphone au médecin, maman ?

— Non, ça ira, ma chérie. Passe une bonne journée.

Clover Hill ! Kim s'en était fait une idée paradisiaque, et la réalité était encore plus belle ! Les jardins seuls valaient une visite. Et que dire des yearlings, un peu nerveux de défiler pour la première fois dans le paddock de parade devant un acheteur ?

Le directeur du haras avait pris place à côté de Reith et Kim, sur l'un des gradins et, à mesure que les chevaux passaient, il détaillait leurs origines et leurs particularités.

— Tu as l'intention d'acheter aujourd'hui, Reith ? voulut savoir Kim, quand, la parade terminée, tous deux se promenaient dans le haras.

Le directeur était retourné travailler, les invitant à rester autant qu'ils le voulaient pour visiter ce qui les intéressait.

— Non, c'est trop tôt, certains commencent à peine à travailler à la longe, d'autres pas encore, mais c'est intéressant de les voir si jeunes et de se faire une idée de leurs capacités futures.

— Tu as ton propre entraîneur ?

— Non, mes chevaux sont dispersés dans plusieurs haras : à Perth, Melbourne et Sydney.

— Combien en as-tu donc ?

Reith se frotta le menton.

— Une vingtaine.

Kim en demeura médusée, ayant une assez bonne idée du coût d'entretien d'un cheval de course.

— Certains ont remporté des grands prix ?

— Pas encore.

Reith porta sur la jeune femme un regard amusé pour expliquer :

— Il n'y a pas longtemps que je m'intéresse aux chevaux.

— En tout cas, renflouer des affaires moribondes est un métier profitable, commenta Kim.

Ils marchèrent en silence un moment. Le temps était frais, et Kim portait un jean, des bottes, et un blouson d'aviateur en cuir. Reith était en jean, lui aussi, avec des grosses chaussures de marche, et il avait enfilé un anorak sur sa chemise.

Un peu plus tôt, quand ils avaient visité le paddock des poulinières, Kim avait remarqué qu'il manipulait presque tendrement les très jeunes poulains. Il connaissait les chevaux, cela se voyait. Aux yeux de la jeune femme, c'était une qualité de plus, et non des moindres…

Comme ils se promenaient entre les enclos, un petit vent glacé se leva, et d'instinct Kim se rapprocha de son compagnon.

— Cette brise doit venir de l'Antarctique pour être aussi froide et pénétrante, murmura-t-elle en frissonnant.

Reith la prit par les épaules pour la conduire vers un petit abri recouvert de vigne vierge. Il s'y trouvait un banc où ils s'assirent, bien à l'abri. Reith attira alors la jeune femme contre lui.

Prenant une profonde inspiration, celle-ci se nicha au creux de son épaule.

— Tu es contente de reprendre ton travail demain? demanda doucement son compagnon.

Kim hésita et, plutôt que de répondre, interrogea à son tour :

— Et toi, quels sont tes projets ?

— Je pars dans le Nord pour quelques semaines.

Kim eut soudain l'impression qu'un peu du vent d'Antarctique qui soufflait dehors lui enveloppait le cœur. Non seulement Reith avait parlé avec un douloureux détachement, mais il ne lui avait donné aucun détail. Le « Nord », comme c'était vague !

Par association d'idées, elle songea alors au peu qu'elle savait sur lui. L'interroger maintenant? Pas question, elle était trop bien, si proche de lui qu'elle sentait son odeur virile à peine citronnée, sa force, sa chaleur… Pourtant, au-delà de ces sensations délicieuses, il demeurait presque un inconnu…

— Reith, murmura-t-elle, comment en sommes-nous arrivés là ?

— Tu trouves que nous n'aurions pas dû ?

— Non, avoua la jeune femme, je m'en étonne seulement. Au début, je nous voyais un peu comme des adversaires… non, le mot est trop fort, disons plutôt que chacun voulait avoir le dernier mot. Maintenant…

Reith la coupa :

— Tu oublies que la première fois que j'ai vu tes jambes j'ai failli percuter un arbre.

Kim eut un petit rire.

— C'est vrai, mais tu étais furieux contre moi.

Elle se tut et réfléchit un instant avant de soupirer :

— N'empêche que je ne sais toujours pas où j'en suis. Je te plais, ou pas ?

En parlant, elle se blottit plus étroitement contre lui.

Reith caressa sa joue.

— Je ne vais pas vous mentir, Kimberley Theron, concéda-t-il d'un ton amusé, sachez donc que l'envie de vous avoir dans mon lit m'empêche souvent de dormir.

Kim remua doucement contre son épaule.

— Moi aussi j'y pense, avoua-t-elle, mais tu t'en doutes bien, n'est-ce pas ? Non que…

Elle se redressa pour regarder son compagnon en face.

— Non que je sois prête à sauter le pas.

— Ah bon ?

— Pas tout de suite, en tout cas.

— Dois-je comprendre que tu seras prête un jour ?

Kim fit entendre un petit rire de gorge puis se rembrunit.

— Je veux dire que nous devons d'abord nous connaître mieux.

Elle se tut et prit conscience soudain qu'elle pensait vraiment ce qu'elle venait d'exprimer : elle ignorait tout de Reith, non seulement ce qu'il pensait d'elle, mais ce qu'il était, ce qu'il faisait, ce qui remplissait sa vie… Or cette ignorance la plongeait dans des affres d'incertitude sur ce qu'elle-même ressentait, désirait, attendait.

— Que voudrais-tu que je sache sur toi ? lui demandait-il à présent.

Elle réfléchit avant de déclarer :

— J'aimerais cesser d'être classée comme une fille de famille pourrie gâtée, ou comme une écervelée…

En guise de réponse, Reith inclina son visage pour prendre sa bouche. Kim aussitôt perdit pied, frémissant de plaisir et d'anticipation sous la douceur de son baiser.

— Tu embrasses si bien, chuchota-t-elle quand leurs lèvres se séparèrent.

— Merci, murmura-t-il avant d'ajouter, plus haut cette fois : Vous vous attendiez au baiser d'un plouc tout juste sorti de son bush, mademoiselle Theron ?

Kim plissa le nez.

— Non, mais je ne m'attendais pas à ce que tu embrasses mieux que… que tous ceux que j'ai connus.

Il leva la tête pour la regarder, les yeux malicieux.

— Ou on ne t'a pas souvent embrassée ou…

Il n'alla pas plus loin, et Kim termina à sa place :

— Ou je n'ai pas su choisir mes amoureux, c'est ce que tu voulais dire ?

— Eh oui, admit-il avec un rien de mélancolie.

— Ça pourrait n'être pas faux, soupira la jeune femme, mais revenons à toi. Où habites-tu ? Tu ne me l'as jamais dit.

— Je voyage tant que je ne le sais plus très bien, ces temps-ci, soupira-t-il. En tout cas, j'ai un appartement à Perth, où se trouvent aussi mes bureaux, et c'est là que mon fils Darcy vient me retrouver pendant les vacances.

— Darcy, répéta Kim qui oubliait parfois que son compagnon était père d'un garçonnet. A dix ans, il est déjà pensionnaire ?

— Il n'est pas le seul interne dans sa classe, tu peux me croire, se défendit Reith qui avait bien senti le reproche sous-jacent.

— C'est vrai, oui, mais nous en avons très peu de son âge à l'internat où j'enseigne.

— Je l'ai mis dans cette école il y a six mois seulement, quand sa grand-mère est décédée.

— La mère de ta femme ?

Reith hocha la tête.

— C'est elle qui l'a plus ou moins élevé, et il semble s'être bien adapté à sa nouvelle vie.

Kim prit un air sévère.

— J'espère que tu passes beaucoup de temps avec lui ?

— Je fais de mon mieux.

— En parlant de temps, reprit la jeune femme, il faut que j'en passe davantage à la maison.

Elle fronça alors les sourcils comme elle se rendait compte soudain que, depuis quelque temps, l'atmosphère avait imperceptiblement changé, à Saldanha.

— Tu ne vis pas dans la propriété de tes parents ? s'étonna son compagnon.

— Depuis l'an dernier, j'habite à Espérance où se trouve l'école qui m'emploie, je ne suis donc plus « à la maison », comme on dit, mais je reviens aux vacances et celles d'été sont proches, maintenant.

Reith prit sa main.

— J'ai du mal à t'imaginer en enseignante.

— Au début, moi aussi, je ne me voyais pas face à des gamins. Et puis j'ai découvert que ça me convenait. J'adore les enfants.

— Dans ce cas, tes élèves ont beaucoup de chance.

Sur ces mots, Reith reprit la bouche de la jeune femme pour un baiser léger avant de plonger son regard dans le sien.

— Nous allons nous quitter, mais nous restons amis, n'est-ce pas ? demanda-t-il.

Elle soutint son regard, grave maintenant, et sut alors que cet homme, cet être environné de mystère, pourrait bien lui causer un jour d'indicibles tourments. Car que pouvait-il arriver de plus douloureux que de tomber amoureuse sans être aimée en retour ?

Hélas lui, elle l'avait compris, n'avait besoin de personne. C'était un solitaire, qui ne parlait ni de lui ni de sa vie… A mieux y réfléchir, elle non plus ne lui avait pas beaucoup parlé de la sienne. Elle avait mentionné Saldanha une fois, mais n'avait pas dit un mot sur sa famille ou sur Balthazar. Il est vrai qu'il ne lui avait posé aucune question, comme si elle ne l'intéressait que quand ils étaient ensemble… Pourtant ils s'entendaient bien, possédaient de nombreuses affinités, partageaient le même sens de l'humour, avaient des goûts communs…

— Kim ?

La jeune femme retomba sur terre.

— Bien sûr nous restons amis. Tu sais quoi ?

Il la regarda sans comprendre.

— Penny a décidé que son petit garçon s'appellerait Reith.

Il haussa un sourcil :

— Parce que je t'ai accompagnée à l'hôpital, ce fameux jour ?

— Non. Parce que c'est original, et que ça lui plaît. Tu pars quand ?

— Demain après-midi.

— Dans ce cas, on ne se reverra pas avant ton retour.

— Je me réjouis à cette perspective. Oh ! Kim, laisse-moi…

— Non, Reith, coupa-t-elle doucement, restons-en là pour l'instant, veux-tu ?

Il l'attira quand même dans ses bras pour l'embrasser avec passion. Et quand, quelques instants plus tard, tous deux reprirent leur souffle, il sidéra la jeune femme en lui demandant :

— Comment trouves-tu cette propriété ?

— Tu parles de Clover Hill ?

Kim promena son regard sur les enclos où paissaient paisiblement les chevaux, s'arrêta sur des buissons croulant sous les roses, puis sur la maison de maître recouverte de vigne vierge, et soupira :

— C'est un endroit unique. Pourquoi cette question ?

Son compagnon haussa les épaules.

— Comme ça… Bon, rentrons maintenant.

Quelque temps plus tard, Kim découvrait la terrible vérité.

Elle était tourmentée depuis le départ de Reith et ne cessait de se poser des questions. Le reverrait-elle ? Pourquoi la vie était-elle si monotone sans lui ? Pouvait-on tomber amoureuse en quatre jours seulement ? Pourquoi ne lui avoir laissé que son numéro de portable, s'il voulait la joindre ? Oh ! mais quelle importance ? Il savait où elle habitait, non ?

La fin de l'année scolaire avait sonné, et la jeune femme était rentrée chez elle. Deux jours après son retour, en arrivant à Saldanha le soir, elle trouva son père effondré sur le sol du petit salon, inconscient.

Après avoir vérifié que son pouls battait encore, elle se rua dans la chambre de sa mère, ne comprenant pas comment il avait fait son compte pour tomber ainsi. S'était-il pris le pied dans le tapis ou…

— Non, ma chérie, rétorqua tristement sa mère, il est ivre, c'est tout.

— Ivre ? répéta Kim, incrédule.

Fiona hocha la tête.

— Cela lui arrive souvent, ces derniers temps.

Kim sentit la catastrophe imminente.

— Pourquoi ? souffla-t-elle.

— Nous avons de gros ennuis financiers, ma chérie. Ton père redoute la faillite. Je l'ai supplié de t'en parler, mais… mais il croit toujours qu'un miracle va nous sauver.

— Pourquoi Damien ne m'a-t-il rien dit ?

Damien, son frère aîné, était prétendument le bras droit de son père. Fiona eut un geste d'impuissance.

— Tu connais ton frère…

— Non, justement ! Dis-moi tout, insista Kim.

Sa mère baissa les yeux.

— Damien ne comprend rien aux affaires, Kim, tu dois le savoir. Il vit pour ses chevaux, et rien d'autre.

Sur ces mots, Fiona éclata en sanglots.

Le lendemain, Kim tenait un conseil de famille. Elle était si pâle, et semblait si bouleversée que son père et son frère, qui n'avaient aucune envie de se plier à ce qu'elle exigeait, avaient quand même accepté de se réunir.

— Explique-moi comment ce cauchemar est arrivé, papa, demanda-elle d'emblée.

Frank Theron, malgré son âge, avait encore de la prestance. De sa chute, la veille, il gardait une marque bien visible sur la joue, et Kim qui l'observait attentivement, s'aperçut qu'il avait le teint congestionné, ainsi que de grosses poches sous les yeux. Il poussa un soupir lourd.

— Nous venons de vivre cinq années difficiles, Kim. Il y a eu plusieurs attaques de mildiou, et tu sais que cette maladie affecte non seulement les vignes, mais aussi la qualité du vin. Ensuite nous avons souffert de la sécheresse, puis de pluies diluviennes. Et enfin, il y a eu un incendie qui a ravagé une partie des terres. Au total, notre chiffre d'affaires a chuté, et nos revenus aussi.

Frank Theron se tut pour pousser un nouveau soupir, avant de dire encore :

— J'ajoute que notre train de vie est très onéreux.

Damien baissa piteusement la tête. Il entretenait une écurie de chevaux de polo. Kim de son côté baissa les yeux sur sa robe qui lui avait coûté un prix extravagant, et pensa à son joli cabriolet, cadeau pour son vingt et unième anniversaire.

— Où en sommes-nous au juste ? voulut-elle savoir.

— Nous avons mis en vente le vignoble, expliqua Frank, et un arriviste, un de ces hommes d'affaires sortis de nulle part, m'a fait une proposition d'achat.

— Pourquoi dis-tu que c'est un arriviste ? intervint Fiona.

— Parce c'est ce qu'il est, tonna son mari. Il ne connaît rien au vin, rien aux vignes, il sort d'une station de bétail perdue dans le bush, et il a eu l'audace de me proposer une bouchée de pain pour une propriété comme Balthazar !

— Arriviste ou pas, il a fait fortune, fit observer Damien.

Frank se tourna vers son fils pour le remettre vertement à sa place, mais Kim s'interposa.

— Avant de vous emporter, laissez-moi comprendre. S'il sort du fin fond du bush, comment cet homme peut-il proposer euh… je veux dire, vu la célébrité de Balthazar, même une bouchée de pain, comme tu dis, papa, doit représenter une grosse somme.

— Il a gagné de l'argent avec une mine, rétorqua Frank plein de mépris : il l'a achetée quand personne n'en voulait, et l'a revendue une fortune. En tout cas, c'est ce qu'on dit. A présent, il exerce un métier de charognard en rachetant des entreprises au bord de la faillite. Il attend que les propriétaires soient à genoux, et vient alors leur proposer de reprendre leur affaire pour une misère.

Kim sentit un frisson glacé lui parcourir le dos.

— Comment s'appelle-t-il ? demanda-t-elle, la gorge sèche.

Son père eut un geste évasif de la main.

— Quelle importance ? Cela ne te concerne pas, Kimmie.

— Si ! s'exclama la jeune femme en se tournant vers son frère. Bien sûr, vous avez refusé son offre ?

Damien hocha la tête.

— Oui, et c'est fichu. J'ai appris hier qu'il avait acheté Clover Hill. Que ferait-il de deux propriétés si proches ?

Kim avait pâli.

— Il a acheté Clover Hill ? Dis-moi son nom, Damien.

Ce fut son père qui répondit :

— Un certain Richardson.

— Oui, Reith Richardson, confirma Fiona. Un prénom inhabituel… Kim chérie, ça ne va pas ? Tu es blanche comme un linge. Que t'arrive-t-il ?

4.

Kim connaissait la situation désastreuse de sa famille depuis deux semaines quand Reith reparut.

Au fil de ces quinze jours, son désarroi n'avait cessé de croître, en même temps qu'elle s'adressait d'amers reproches. Car comment ne s'être pas doutée plus tôt des soucis de ses parents ? Même Mary, la gouvernante, avait remarqué que Fiona n'avait plus d'appétit, alors que Kim ne s'était aperçue de rien. La jeune femme souffrait aussi de n'avoir pas su se rendre compte que son père s'était mis à boire, et que Damien n'était pas doué pour les affaires, plus grave, qu'il ne s'y intéressait nullement. Certes, le frère et la sœur n'avaient jamais été très proches — ils avaient cinq ans d'écart — mais tout de même...

Et puis un beau matin, Reith appela, lui proposant de dîner ensemble.

Elle suggéra de déjeuner, et ils convinrent de se rencontrer dans un petit village proche de Saldanha, où se trouvait un café-restaurant. Kim s'y rendit avec un break au logo de la propriété ; elle avait vendu son cabriolet dont le produit n'avait été qu'une goutte d'eau dans l'océan de dettes de la famille, mais le geste lui avait donné vaguement bonne conscience.

Vêtue d'un jean et d'une chemise à carreaux, les cheveux rassemblés en une lourde tresse, elle pénétra dans le café, et son cœur fit un bond à la vue de Reith, en jean, lui aussi, avec un T-shirt noir et des bottes. Mais elle se reprit vite et tira une chaise en face de lui…

— Kim !

Il s'était levé et la dévisageait avec attention. Elle avait imperceptiblement changé, on la sentait stressée, fatiguée, ses beaux yeux étaient cernés, battus, mais elle semblait plus mure, plus déterminée, plus fermée aussi. Elle n'en demeurait pas moins toujours aussi belle.

Reith comprit tout de suite et s'immobilisa, disant sans préambule :

— Tu sais, n'est-ce pas ?

— Oui.

La jeune femme s'assit avant de demander d'une voix âpre :

— Et quand comptais-tu me le dire ?

— Aujourd'hui, répliqua-t-il, laconique, avant de faire signe au serveur qui apporta une bouteille de vin dont il lui servit un verre.

Reith, lui, était resté fidèle à la bière.

— Facile à dire ! ironisa la jeune femme avec amertume.

— C'est pourtant la vérité.

Reith se rassit lentement, but une gorgée de bière, et s'accoudant à la table, demanda sans la quitter des yeux :

— Cela aurait changé quelque chose si tu avais su qui j'étais ?

— Bien sûr ! Pour mon père, tu es l'ennemi public numéro un. Tu lui as offert une misère pour Balthazar, et en plus tu n'as pas… disons, les compétences pour t'occuper d'un cru d'une notoriété pareille. Il pense que…

— Je sais, que je suis un affreux arriviste, un bouseux venu du fin fond du bush, il me l'a dit, ricana Reith. Quant à ton frère, avec ses chevaux de polo et ses cravates rayées… Autant dire que nous ne vivons pas sur la même planète.

Il se tut et plissa les yeux avant d'ajouter un ton plus bas :

— J'espérais que tu ne partageais pas tout à fait leur opinion sur moi.

— Tu es sérieux, Reith ? Il s'agit de ma famille, pas seulement d'une propriété ni d'un vignoble. Balthazar et Saldanha sont bien davantage pour nous : c'est le fief familial, et ce depuis…

Il la coupa :

— On ne doit pas mélanger les affaires avec les sentiments. La tradition, la famille, c'est très bien, mais il faut de l'argent pour payer les factures.

Kim le fusilla du regard avant de fermer les yeux quelques instants.

— Tu as peut-être raison, admit-elle d'une voix sans timbre, et elle poursuivit, avec plus de fermeté cette fois : peut-être ne peut-on comprendre ce que nous ressentons quand on n'a pas la même histoire, les mêmes traditions familiales…

Reith fronça les sourcils.

— Peut-être, marmonna-t-il.

Kim reprit, le fixant droit dans les yeux :

— Est-ce parce que je suis une Theron, membre d'une famille que tu es en droit de haïr que tu… enfin… Oh ! mais bien sûr, tout s'explique maintenant : cette impression que tu me jugeais alors même que…

Elle s'arrêta, le souffle court, mais ses yeux lançaient de dangereux éclairs.

Un petit silence tendu suivit jusqu'au moment où Reith fit valoir avec une agressivité non dissimulée :

— Nous nous sommes rencontrés à cause de ton comportement irresponsable sur la route, Kim. Je ne serais jamais allé te chercher. Mieux, si j'avais pu t'abandonner à ton sort, ce jour-là, j'en aurais été bien content. Mais me voyais-tu le faire ?

— Tu n'avais pas à m'inviter à dîner le soir.

Il détourna les yeux comme un groupe d'ouvriers qui venaient d'entrer s'installaient au bar. Reportant son attention sur sa compagne, il déclara avec une ironie mordante :

— A ce stade, figure-toi, je commençais à me demander

comment tu faisais l'amour. Si même au lit tu te comportais avec l'arrogance des autres membres de ta famille.

Kim faillit s'étrangler de rage, et en guise de réponse elle le toisa avec mépris. Ce même mépris qu'avaient affiché son père et son frère quand Reith les avait contactés pour reprendre leur vignoble en faillite.

Il sentit alors une idée germer en lui. Une idée diabolique, certes, mais digne des Theron et de leur ravissante héritière. Car oui, elle était belle et il la désirait toujours, malgré le dédain qu'elle lui manifestait. Il n'avait d'ailleurs jamais cessé de la désirer.

Un souvenir lui revint soudain… Après que Francis Theron eut refusé son offre, il avait dit à Alice, sa fidèle secrétaire, parlant de Kim : « Ils devraient peut-être lui trouver un riche mari. » Quelle ironie du sort !

— J'ai une proposition à te faire, déclara-t-il alors à la jeune femme qui continuait à le fixer sans mot dire.

— Une nouvelle offre de reprise, peut-être ? maugréa-t-elle d'un ton odieusement supérieur.

Il haussa les épaules.

— C'est à voir.

Kim écarquilla de grands yeux étonnés.

— On m'a dit que tu avais acheté Clover Hill ?

Elle le défia du regard avant d'ajouter :

— Encore une chose que tu t'étais bien gardé de me dire.

— Je n'avais pas encore pris de décision, le jour où nous y sommes allés ensemble, mais oui, j'ai acheté le haras.

— Alors ? De quoi s'agit-il ? le pressa Kim.

Il prit son temps, la détaillant tout à son aise, avant de déclarer, détachant bien ses mots :

— Marions-nous. Si tu acceptes, j'éviterai la faillite à tes parents et ils seront toujours à l'abri du besoin.

*
* *

Trois semaines plus tard, ils se tenaient côte à côte dans un bureau municipal, devant l'officier d'état civil qui les déclarait mari et femme. Kimberley Maria Richardson née Theron, un peu pâle mais très belle, portait une robe ravissante couleur ivoire, au corsage ajusté et à la jupe mi-longue. Une robe portant la griffe d'un couturier célèbre, et qui lui allait à ravir.

Mais si la mariée était en beauté, ses pensées n'en tournaient pas moins en une ronde infernale dans sa tête. Cela durait depuis le jour où elle avait accepté d'épouser Reith parce qu'elle ne supportait pas l'idée que ses parents soient ruinés.

Une fois les formalités accomplies, comme ils s'étaient mariés sans témoins ni amis, ils reprirent la voiture de Reith pour se rendre à Saldanha annoncer la nouvelle à la famille Theron. C'était pour Kim la seconde épreuve de la journée...

Bien que ce soit elle qui ait tenu à organiser les choses ainsi, elle commençait à le regretter. D'autant que Reith lui avait proposé de mettre lui-même ses parents au courant. Mais elle avait refusé, ironisant :

« Que leur dirais-tu ? En échange de votre fille, je vous sors du pétrin ?

— Certainement pas, avait-il répliqué avec sérieux, mais je leur assurerais que nous nous sommes sentis follement attirés l'un vers l'autre et... »

Kim s'était alors tournée vers lui pour lancer, venimeuse :

« Crois-moi, c'était il y a bien longtemps ! Dans une autre vie, pourrait-on dire. »

Il l'avait observée un long moment, avant de faire voler en éclats ses dernières illusions.

« Je ne sais pas ce que tu deviendrais dans la tourmente de la faillite familiale, Kim, mais pour tes parents la situation serait catastrophique. La vente de Balthazar et de Saldanha ne servirait qu'à payer les créanciers. En revanche, si nous nous marions, je comblerai les dettes de ton père, et il aura sa place au conseil d'administration du vignoble. Quant à toi, tu pourras jouer les maîtresses de maison à Saldanha. »

Il avait prononcé cette dernière phrase sur un ton ironique, et Kim avait pâli.

« Si tu crois qu'en te moquant ça ira mieux, tu te trompes. Pourquoi papa et maman ne resteraient-ils pas à Saldanha ?

— Parce que ce ne sera pas possible.

— Où iront-ils alors ? avait gémi Kim. Ils n'auront plus de dettes s'ils te vendent les propriétés, mais il ne leur restera pas un sou, dis-tu.

— Ton frère ne peut pas les aider ? »

Kim avait secoué la tête :

« Damien n'a pas plus de ressources propres que moi. »

Sur quoi, elle avait pris une profonde inspiration avant de risquer :

« Pour être honnête, Reith, je crois que tu ne m'évalues pas à ma juste valeur.

— Que veux-tu dire ?

— Non, tu me sous-estimes. Je ferai une épouse parfaite, surtout pour un homme riche. »

Ils s'étaient dévisagés quelques instants sans mot dire, puis Reith avait demandé, perfide :

« Au lit, tu veux dire ? »

S'adjurant de ne pas rougir, la jeune femme avait riposté d'un ton faussement badin :

« Au lit, on est deux, aussi je ne me prononcerai pas tant que je ne t'aurai pas vu à l'œuvre. Si je t'y vois un jour... Non, je pensais à mon rôle social : je saurai tenir tes propriétés, donner des dîners, recevoir les gens susceptibles de servir ta carrière, je sais m'habiller, et... et j'aime les enfants. Je serai bien pour ton fils. »

Reith avait alors rétorqué, pesant ses mots :

« Je possède un appartement à Bunbury. Tes parents pourront l'occuper gratuitement, et je leur verserai en plus une substantielle allocation mensuelle... aussi longtemps que tu resteras avec moi, Kim. »

Celle-ci avait retenu son souffle.

« Tu mets la barre très haut, Reith.

— Tu te défends bien aussi, Kim. »

Elle allait protester mais se ravisa :

« Pourquoi pas ?

— Pourquoi pas, en effet », avait répondu Reith avec, dans les yeux, une lueur d'ironie qui avait mis la jeune femme hors d'elle.

Et elle ne s'était pas calmé lorsqu'il avait ajouté :

« Quand il s'agit de soutenir ceux que tu aimes, tu mérites la mention très bien, Kimberley Theron. »

A mesure qu'ils approchaient de Saldanha, Kim était de plus en plus nerveuse. Avait-elle eu raison d'insister pour mettre ses parents devant le fait accompli ? N'aurait-elle pas dû les avertir avant le mariage, ou accepter l'offre de Reith qui proposait d'aller les voir pour les mettre au courant ?

Comme elle ne cessait de s'agiter sur son siège tant elle était préoccupée, son compagnon lui glissa un regard de biais, avant de murmurer :

— Calme-toi, Kim, réfléchis plutôt à ce que tu vas dire.

Lissant le tissu de sa robe de soie, la jeune femme avoua, tendue :

— Je ne sais vraiment pas.

— Voilà qui ne te ressemble pas, fit observer Reith, sarcastique.

Elle aurait aimé lui répondre sur le même ton, mais se força à prendre une voix posée :

— Leur présenter notre mariage comme un fait accompli me semblait la meilleure solution, mais à mieux y réfléchir j'ai peur que le choc soit encore plus violent. Peut-être l'argument que tu avançais l'autre jour serait-il plus convaincant ? Je veux dire euh… quand tu parlais d'attirance entre nous.

— Il a au moins le mérite d'être honnête.

Elle hésita encore avant de chuchoter bien à contrecœur :

— Bon, d'accord, c'est ce que je leur dirai.

— N'en fais donc pas toute une histoire, lui dit encore Reith, il n'y a pas si longtemps, nous nous entendions à merveille, et tu le sais.

Ce disant, il avait rétrogradé pour bifurquer sur le chemin qui traversait Saldanha et menait jusqu'à la maison de maître.

Kim prit une profonde inspiration et, sans répondre, se prépara à affronter ses parents.

Une voiture de sport verte était garée sous l'auvent à droite de la maison. Kim la reconnut aussitôt :

— Damien est là, dit-elle, fronçant les sourcils. Il ne manquait que lui !

— Ecoute, allons-y, veux-tu ? La présence de Damien ne change rien à la situation.

Reith coupa le contact et sortit de voiture. Puis, récupérant sa veste de costume sur la banquette arrière, il l'enfila avant de resserrer son nœud de cravate et de contourner le véhicule pour aller ouvrir la portière de sa passagère.

Kim ne bougea pas tout de suite, les yeux fixés sur l'alliance en or toute simple qu'elle portait maintenant à l'annulaire gauche, n'ayant pas voulu de bague de fiançailles. La pensée de ses parents et de tout ce qu'ils avaient fait pour elle depuis toujours lui donna enfin la force de quitter la voiture, et tous deux gagnèrent la porte d'entrée.

A l'intérieur de la maison, ils découvrirent une scène terrible. Frank Theron était affalé sur le canapé, sa femme agenouillée à côté de lui, tandis que la gouvernante Mary Hiddens se tordait les mains en signe d'impuissance, et que Damien composait frénétiquement un numéro de téléphone sur son portable.

— Kim… Oh Kim ! s'exclama sa mère en la voyant, c'est donc vrai ! gémit-elle.

— Quoi donc ? s'écria la jeune femme, courant s'agenouiller à côté de Fiona.

— Un journaliste vient d'appeler ton père pour lui demander si tu avais réellement épousé Reith Richardson, expliqua sa mère avec un regard sur ce dernier. Ton père n'était pas très bien depuis ce matin, et… et cela l'a achevé. Il a perdu connaissance.

— Vous l'avez tué ! lança durement Damien à l'adresse de Reith.

Heureusement que Reith était là ! songea Kim, encore sous le choc. Dans l'affolement général, il prit la situation en main, et sauva sans doute la vie à Frank Theron.

Au lieu de l'ambulance que Damien voulait faire venir, Reith appela l'hélicoptère des secours d'urgence, et en attendant son arrivée il installa Frank le plus confortablement possible et lui administra des médicaments prescrits par son médecin en cas d'accident cardiaque, ce que ses proches, trop bouleversés, n'avaient pas pensé à faire.

Et il était présent avec Kim quand le cardiologue expliqua que Frank Theron, qui avait le cœur en mauvais état, aurait dû subir depuis longtemps déjà une opération. Mais il repoussait sans cesse l'intervention, parce qu'il avait peur.

Le spécialiste expliqua aussi que la crise d'angine de poitrine qui l'avait terrassé le guettait depuis de longs mois, et que c'était un miracle qu'elle ne se soit pas produite plus tôt.

— Qui a pu savoir que nous nous mariions ?

Après leur visite à l'hôpital, Kim et Reith étaient de retour à Saldanha, et bavardaient dans le petit salon.

Fiona et Damien étaient restés à l'hôpital pour discuter avec le chirurgien des modalités de l'opération qui devait maintenant avoir lieu dans les plus brefs délais. En vérité, l'accident cardiaque de Frank leur avait fait oublier complètement le mariage de Kim avec Reith Richardson.

Ce dernier se débarrassa de sa veste, desserra sa cravate, et servit deux cognacs.

— Quelqu'un t'aura reconnue, dit-il en tendant un verre à Kim.

Il marqua une pause avant de demander :

— Comment vois-tu les choses, maintenant ?

La jeune femme but une gorgée de cognac.

— Tu veux dire… comment je les vois tout de suite, ou dans une semaine, ou dans quelques mois ?

— Commençons par ces jours-ci.

— Franchement, je n'en sais rien, rétorqua Kim sans cacher son exaspération. Là, tout de suite, j'ai du mal à avoir des idées claires.

Elle promena son regard sur ce salon qu'elle connaissait si bien, et il lui vint à l'idée que Reith paraissait parfaitement à l'aise dans ce décor qui pourtant lui était étranger…

— Dis-moi, reprit-elle, fronçant les sourcils, tu as essayé d'acheter Saldanha et Balthazar uniquement pour faire une affaire dans le cadre de tes activités habituelles ? Tu n'as jamais eu envie de vivre ici ou de t'intéresser au vin, n'est-ce pas ?

Elle hésita avant de poursuivre, mal assurée :

— Tu… enfin, tu aurais pu songer à planter tes racines ici. C'est tout de même plus reluisant qu'un mauvais logement de rabatteur dans une station perdue au fin fond du…

Elle se tut soudain, et porta la main à sa bouche, horrifiée par ce qu'elle venait de dire.

Reith, lui n'avait pas bronché. Un mince sourire apparut sur son visage, et il déclara, sardonique :

— Il ne s'agissait pas d'un mauvais logement de rabatteur. En revanche, oui, la station était perdue au fin fond du bush. Elle se trouvait du côté de Karratha. Mais pour répondre à ta question, non, je n'ai besoin ni de planter mes racines ni de paraître ce que je ne suis pas. C'est pourquoi ton frère et ton père ne me trouveront jamais assez bien pour toi. C'est la question que tu posais, n'est-ce pas ?

Kim se redressa vivement sur son siège.

— Pourquoi… oui, pourquoi sont-ils contre toi ?

Reith contempla un instant le contenu de son verre.

— Parce que pour eux je suis un rustre, un bouseux, qui a eu la chance de s'enrichir avec un bout de terrain qui recelait une mine.

— Mais tu n'es pas un rustre, je veux dire…

— Je ne décapsule pas ma canette de bière avec les dents, non, si c'est ce que tu entends, mais je n'ai pas fréquenté une école anglaise, et n'en ai ni l'uniforme, ni la cravate, ni le langage.

— C'est absurde, voyons ! Il doit y avoir autre chose.

— Sans doute ai-je été maladroit avec ton père. Il a compris que j'avais vu toutes les erreurs de jugement et de stratégie qu'il avait commises ces dernières années et…

— Mais je croyais qu'il y avait eu des problèmes avec le mildiou, la sécheresse, la crise financière mondiale, bref, des ennuis imprévisibles ?

— Certes, tout cela n'a pas aidé, mais personne n'avait songé à une stratégie de restriction, ni surtout…

Reith se tut, réfléchit quelques instants, puis reprit :

— Tu sais, Kim, je travaille toujours ainsi : c'est en apprenant comment est gérée une affaire que je peux l'évaluer et savoir si je pourrai la remettre à flot. Or les gens qui me cèdent leurs biens n'en sont généralement pas très heureux, parce qu'ils se trouvent souvent en faillite par leur propre faute.

Il se leva alors pour se placer devant la jeune femme :

— Ecoute, dit-il encore, je suis désolé pour ton père, même s'il croit le contraire, mais tu seras mieux avec moi que…

— Comment peux-tu parler ainsi ! s'écria Kim qui, d'un bond, se leva à son tour. A t'entendre, j'ai l'impression d'être une plante verte que l'on déplace à sa guise ! Tu ignores complètement ce qui me convient, ce qui est bon pour moi, ce qui peut me rendre heureuse !

— Allons, Kim, je le sais. Il suffirait que je t'embrasse…

L'indignation terrassa la jeune femme au point qu'elle leva son verre et fit mine d'en jeter le contenu au visage de Reith, mais celui-ci avait déjà saisi son poignet.

— Pas de violence, dit-il sourdement.

— Lâche-moi !

— Pas tant que nous n'aurons pas réglé certaines choses.

— Règle ce que tu veux, mais ne parle plus jamais de m'embrasser ! jeta la jeune femme.

Malgré le ton, ses larmes jaillirent, irrépressibles.

Un sourire éclaira fugitivement le visage de Reith.

— Là, je te reconnais mieux, Kim.

Et resserrant sa pression sur son bras, il poursuivit :

— Parlons franc : avec ce qui vient d'arriver à ton père, je n'attends pas de toi que tu te précipites dans le lit conjugal. Sauf bien sûr, si c'est ton désir…

Kim, qui regardait obstinément ailleurs, ne daigna pas répondre.

— J'en déduis que ce n'est pas ton désir, grinça Reith. Nous allons donc nous accorder une trêve.

Cette fois, la jeune femme se tourna.

— Cela veut dire quoi ?

Il haussa un sourcil sardonique.

— Que pendant un certain temps nous ne parlerons pas de ce qui fâche, si j'ose dire.

— Ce ne serait pas plus simple de divorcer ?

— Il n'en est pas question, Kim.

Et comme elle se détournait, il poursuivit d'un ton dur :

— La vie n'est pas toujours telle qu'on la voudrait, mais pour l'instant, tant que ton père est malade, nous ne prendrons aucune décision concernant notre vie commune.

Kim le regarda de nouveau.

— Où habiteras-tu ? A Bunbury ou à Perth ?

Il secoua la tête.

— Ni l'un ni l'autre. Je compte m'installer à Clover Hill.

La question fusa sans que la jeune femme ait pu la retenir :

— Ne me dis pas que le haras est menacé de faillite, et que c'est pour cela que tu l'as acheté ?

— Pas du tout, non. Tout se passe bien là-bas, mais les propriétaires prennent de l'âge, et n'ayant pas d'enfant, ils ont décidé de vendre.

— Alors pourquoi avoir fait cette acquisition ? Cela ne te ressemble pas, persifla Kim.

Un mince sourire vint à Reith qui expliqua alors :

— J'ai acheté Clover Hill parce que tu trouvais que c'était un endroit unique. Bonsoir, Kim.

Sans ajouter un mot, il reprit sa veste et quitta le petit salon.

5

Ils étaient mariés depuis deux mois.

Aux yeux du monde, Kim était l'épouse idéale, et Reith, le premier, appréciait à leur juste valeur sa beauté, sa classe et ses qualités de maîtresse de maison. Elle savait recevoir et tenait admirablement Saldanha dont elle avait repris en main le jardin et rénové la belle maison de style colonial hollandais. Car c'est là qu'ils habitaient, la jeune femme ayant refusé avec force de s'installer à Clover Hill.

Tout comme elle continuait à refuser de partager la chambre et le lit conjugaux.

Reith commençait à perdre patience. Certes, l'hostilité de sa femme pouvait se comprendre : elle lui reprochait d'avoir profité des revers de fortune de sa famille pour s'approprier ses biens, et de l'avoir contrainte à l'épouser pour sauver ses parents de la ruine et du déshonneur. Par ailleurs elle ne cachait pas son mépris pour la façon dont son mari gagnait sa vie, s'enrichissant, disait-elle, grâce aux déboires des autres.

Evidemment, les Theron n'appréciaient pas non plus que leurs deux propriétés appartiennent désormais à un autre, et ils pardonnaient moins encore à cet « autre » d'avoir épousé leur fille.

Pourtant, avait un jour fait valoir Reith, sans lui, ils seraient à la rue, alors qu'ils jouissaient d'une confortable retraite dans un bel appartement à Bunbury. Reith avait aussi payé la croisière de luxe qui avait accéléré de façon significative la convalescence de Frank, désormais tout à fait remis de son opération à cœur ouvert.

Mais Kim s'était contentée de secouer ses jolies boucles et, sans un mot, était sortie de la pièce.

L'entrée de celle-ci dans le petit salon tira Reith de ses pensées. Ce soir, ils étaient invités à un dîner chez des voisins, et Kim était resplendissante. Comme il la contemplait, admirant son élégance raffinée que rehaussaient les boucles d'oreilles en diamant — seul cadeau venant de lui qu'elle consentait à porter — il se dit soudain que, oui, décidément, il perdait patience.

Il demeura muet à son entrée et la jeune femme, surprise, demanda :

— A quoi penses-tu ?

— Je te trouve élégante et ravissante comme toujours, et c'est bien dommage que tu me détestes.

Elle fronça les sourcils et Reith se leva, pour gagner la porte-fenêtre ouvrant sur le jardin, que teintaient d'or les derniers rayons du soleil.

— Je pensais aussi à bien des choses, reprit-il comme s'il se parlait à lui-même : j'apprécie tes qualités, et j'ai même une certaine admiration pour ton obstination farouche à me considérer comme un ennemi. Seulement voilà, je commence à en avoir assez.

De nouveau la jeune femme fronça les sourcils.

— Que veux-tu dire ?

Il la regarda droit dans les yeux et déclara, en détachant bien ses mots :

— Qu'il n'a jamais été question entre nous d'un mariage blanc.

— Tu m'as promis de me donner du temps, balbutia Kim, rougissant. Je me disais que…

— Quoi donc ?

— Que tu trouverais peut-être une femme qui te conviendrait mieux… ou même dont tu tomberais amoureux.

Reith eut un sourire fugitif.

— Tu le souhaites vraiment ? Alors pourquoi tant de zèle à jouer le rôle d'une épouse modèle ?

— Je ne fais que ce que je dois faire et…

— Tu en fais bien davantage, la coupa-t-il d'un ton rude. Mais l'essentiel commence à me manquer : par une soirée comme celle-ci, en rentrant ce soir, nous pourrions nous promener dans le jardin sous la lune puis, une fois dans notre chambre, faire l'amour avec passion. Car après tout, Kim, quand je t'embrassais, il n'y a pas si longtemps, tu ne disais pas non.

— J'ignorais qui tu étais.

— Cela n'a aucun rapport, et tu le sais.

Kim ferma un instant les yeux.

Car il disait vrai, leurs baisers étaient pleins de fougue, d'abandon. D'anticipation, aussi… Mais c'était avant. Elle réprima un soupir, alors que Reith reprenait, inflexible :

— Nous étions prêts à aller plus loin, tu ne le nieras pas.

Cette fois, la jeune femme gagna elle aussi la fenêtre.

— Le moment est mal choisi pour ce genre de discussion.

— Eh bien, choisis ton moment ! répliqua son compagnon du tac au tac, à condition bien sûr que ce ne soit pas dans dix ans.

Kim ignora la raillerie, mais insista :

— Nous sommes déjà en retard pour ce dîner.

Reith la regarda droit dans les yeux.

— Je te croyais courageuse, Kim, et je m'aperçois que tu es pire qu'une autruche.

— Ce n'est pas vrai !

— Alors c'est à s'y tromper. Et maintenant, allons-y. Il est tard, en effet.

Leurs hôtes avaient organisé un dîner de vingt personnes absolument parfait. La table à elle seule évoquait un tableau : nappe en lin écru où voletaient en farandole des oiseaux de paradis brodés à la main. La vaisselle en fine porcelaine céladon était en harmonie avec les tons des broderies, et les verres en cristal taillé étincelaient. Quant au menu et aux vins qui l'accompagnaient, c'était une symphonie de saveurs et de parfums.

Molly et Bill Lawson, qui recevaient, habitaient la propriété voisine de Saldanha. Kim les connaissait depuis toujours. Enfant, elle jouait déjà avec leurs fils, et n'ayant pas de filles, ils l'avaient vite adoptée comme celle qu'ils auraient souhaité avoir. Leurs sentiments n'avaient pas changé, de sorte qu'ils avaient accepté Reith le plus naturellement du monde. Au point que Kim en éprouvait parfois un obscur ressentiment.

Il est vrai que Reith savait se montrer charmeur, drôle, séduisant. Et mieux encore, il en imposait. Bill Lawson, fin psychologue et fin connaisseur lui aussi du monde des affaires, l'estimait et ne s'en cachait pas. Quant à Molly, elle était sous le charme.

Ah, si seulement les parents de Kim avaient accepté Reith aussi facilement ! Mais bien sûr, les conditions n'étaient pas les mêmes…

Le repas touchait à sa fin, et la jeune femme but une dernière gorgée de vin tout en réfléchissant à sa conversation avec son mari, avant de partir.

Comment n'avoir pas prévu qu'il reviendrait à la charge ? Qu'il ne se contenterait pas d'un mariage blanc ? Parce que, par manque de courage, elle avait fait l'autruche, comme il l'en avait accusée, ce soir ?

Que se passerait-il si elle acceptait de partager sa chambre ? Ou si elle lui avouait qu'elle ne savait jamais si elle l'aimait à en perdre la tête ou le haïssait de toute la force de son être ?

En effet, elle ne pouvait pas nier qu'à certains moments, le seul fait de le regarder ou d'entendre sa voix suscitait en elle une indicible fureur ; à d'autres, hélas, quand elle s'y attendait le moins, il lui suffisait de regarder ses mains, par exemple, pour qu'une vague de sensualité la terrasse et que surgisse le désir irrépressible de les sentir sur sa peau nue… A d'autres moments encore, elle rêvait d'être dans son lit, et qu'il lui faisait l'amour avec passion…

Kim s'arracha à ses pensées, sentant presque physiquement sur elle le regard interrogateur de son mari. Lisait-il ses pensées ? Oh non, pourvu qu'elle ne rougisse pas ! Mais Molly la sauva en annonçant que l'on pouvait sortir de table et que le café serait servi dans le salon.

Il était plus de minuit quand ils regagnèrent Saldanha.

— Belle réception, murmura enfin Reith alors que ni l'un ni l'autre n'avait dit un mot pendant le trajet.

— En effet, admit Kim, qui ajouta aussitôt comme pour masquer son malaise : qu'as-tu pensé de Chilli George ?

Reith immobilisa la voiture devant la porte d'entrée et répondit sans couper le moteur :

— Assez excentrique, comme son nom, mais c'est sans doute courant chez les stylistes.

Il marqua un temps d'arrêt avant de poursuivre :

— Tu n'as pas d'autre sujet de conversation que de passer au crible les invités des Lawson ?

Kim croisa les mains, puis les décroisa, cherchant désespérément une réplique qui n'entraîne pas entre eux la discussion qu'elle redoutait tant. Hélas rien ne vint, et elle dut se contenter d'un lamentable :

— Il est tard, tu sais, et…

— Le moment est mal choisi, ricana son compagnon d'une voix dure. C'est bon, descends.

— Tu ne ranges pas la voiture au garage ?

— Non, je pars pour Perth.

Kim sursauta.

— A une heure pareille ? Pourquoi ?

Leurs regards se croisèrent.

— Ne joue pas les naïves, veux-tu ? murmura Reith avec une insultante dérision.

— Je… Je… Quand seras-tu de retour ?

— Je n'en ai pas la moindre idée.

Kim se mordit la lèvre, puis soudain elle enragea et lança froidement :

— Fais comme tu veux !

Mais elle ne put s'empêcher de claquer sa portière avec violence.

Après une nuit presque blanche, Kim sortit très tôt le lendemain, sella Mattie, sa jument favorite, et partit se promener, escortée de Sunny Bob. Ils prirent la direction de Balthazar, et plus précisément de sa célèbre cave de dégustation, où l'on recevait les œnologues et amateurs de vin du monde entier pour leur faire goûter les productions de la propriété.

Depuis deux mois, Kim avait repris en main cette cave, sachant que c'était un atout promotionnel important. D'ailleurs, si Balthazar avait été le premier vignoble de la région à instaurer cette coutume, les autres l'avaient vite imité, ajoutant même à leur installation, qui un restaurant, qui une boutique de souvenirs, qui un circuit de découverte du vignoble…

La cave de Balthazar était une construction en grosses pierres de taille, très bien isolée, et dont la plus grande partie était aménagée pour assurer le vieillissement des vins. Un beau jardin l'entourait, planté de magnifiques jacarandas, et traversé par une rivière. Il s'y trouvait aussi une sorte d'amphithéâtre naturel adossé à de grands pins parasol.

La partie de la cave où l'on recevait hôtes et visiteurs comportait, outre la salle de dégustation, un restaurant et une boutique d'artisanat local. Kim y travaillait souvent, maintenant qu'elle avait abandonné son poste d'enseignante.

Certaines des propriétés avoisinantes organisaient des concerts dans leurs chais afin d'attirer les clients, d'autres des expositions de peinture ou des manifestations mondaines. Balthazar s'était fait une spécialité de monter, tous les deux ans, une présentation de mode d'un ou plusieurs couturiers connus. Or cette année Kim avait donné carte blanche à la styliste d'avant-garde Chilli George, avec laquelle ils avaient dîné la veille chez les Lawson et dont la maison de couture était déjà bien connue à Perth. La manifestation devait avoir lieu dans quelques jours.

Après avoir inspecté le jardin et donné des ordres au jardinier, Kim alla discuter avec l'intendant des derniers détails de la présentation de mode. Puis Mattie et sa cavalière reprirent au pas le chemin de Saldanha. Mais dès que la maison fut en vue, les pensées de la jeune femme se mirent à vagabonder. Comme elle aimait cette maison ! Elle y était encore plus attachée qu'avant, quand elle n'imaginait pas possible de la perdre un jour.

Que Reith lui ait donné carte blanche pour restaurer la propriété et lui redonner sa splendeur d'antan l'avait beaucoup aidée à surmonter les drames de sa famille, ainsi que les amères désillusions de son mariage forcé. Elle s'était découvert des talents ignorés : ainsi elle adorait s'occuper du parc, et supervisait avec beaucoup d'autorité et de goût le travail des jardiniers. Très bientôt, les rosiers plantés par sa grand-mère retrouveraient leur beauté passée, et Kim était même allée plus loin : elle avait conçu un jardin japonais avec un étang rempli de nénuphars qui serait un délice de fraîcheur pendant les mois de grosse chaleur.

Elle avait ensuite reporté toute son énergie sur la maison. C'était toujours une belle demeure, mais depuis longtemps, ses parents avaient renoncé à l'entretenir comme ils l'auraient dû. Kim avait fait repeindre l'intérieur dans des tons qui lui plaisaient, et toutes les moquettes des chambres avaient été changées. Au rez-de-chaussée, on avait poncé et ciré les parquets magnifiques qui avaient retrouvé ainsi leur lustre d'autrefois. Les salles de bains avaient également été modernisées, et, cela terminé, la jeune femme avait conçu, aidée par l'indispensable Mary Hiddens, la rénovation intégrale de la cuisine. Malgré tous ces travaux, Saldanha, n'avait rien perdu de son charme d'autrefois, et il y faisait bon vivre, désormais.

L'évocation de la demeure qu'elle aimait tant lui fit songer à ses parents. Dire qu'elle ne s'était jamais doutée des difficultés qu'ils traversaient. Quels enfants gâtés ils faisaient, elle et Damien !

Frank et Fiona, pour leur part, semblaient s'être habitués à leur nouvel environnement, dans ce joli quartier de Bunbury. Ils ne revenaient jamais à Saldanha, et Kim n'insistait pas, ne voulant pas retourner le couteau dans la plaie. Quand elle leur rendait visite, ils ne lui posaient jamais de question sur sa vie avec Reith. Une fois seulement sa mère, se doutant que tout n'était pas facile, avait prudemment questionné sa fille, qui avait déclaré avec gentillesse, mais fermeté :

« Je vais bien, maman, mais ne me demande pas de te parler de ma vie, elle est compliquée… Sache que Reith ne me traite pas mal, bien au contraire. »

Fiona n'avait pas insisté.

Par association d'idées, Kim pensa alors à Darcy qui, lui, n'avait jamais eu de maman. La relation qu'elle avait réussi à créer avec lui était de plus en plus riche, et elle savait que Reith lui en était reconnaissant, bien qu'il n'en parlât jamais. Au premier abord, ce petit garçon de dix ans, tout blond, semblait ne poser aucun problème : il était poli, se tenait bien à table, et mangeait tout ce qu'on lui présentait. Mais qu'il arrive à la maison pour le week-end ou les vacances ou regagne son internat, il ne manifestait jamais ni joie ni ennui, comme si tout lui était égal. Kim avait même l'impression qu'il était plus heureux dans son école qu'à Saldanha.

Elle en avait parlé à Reith, un lundi matin, alors que

tous deux le ramenaient au pensionnat, et avait vu dans le regard de son mari qu'elle touchait un point sensible.

« Je sais, avait-il admis, il se protège derrière une carapace d'indifférence. Sans doute pour ne pas souffrir. Ce n'est pas facile pour un enfant de n'avoir jamais eu de mère. Et moi je manque de temps pour m'occuper de lui.

— Tes parents ne t'ont pas aidé quand tu t'es retrouvé seul avec lui ? » avait alors demandé Kim.

Reith avait eu un ricanement amer qui l'avait glacée.

— Mes parents, dis-tu ? Ma mère nous a quittés quand j'avais dix ans et mon père ne s'en est jamais remis. Il est mort avant la naissance de Darcy.

— Oh ! je suis désolée, avait murmuré la jeune femme.

Dès lors, elle avait décidé de s'intéresser davantage au garçonnet. Son expérience d'enseignante lui avait appris qu'il ne faut pas trop solliciter les enfants. Elle avait donc commencé à l'observer quand il était à Saldanha, voyant comment il réagissait selon les circonstances. Et elle avait vite découvert un moyen d'obtenir de lui autre chose que ce comportement lisse et poli qui le caractérisait et sur lequel on n'avait aucune prise.

Il y avait à l'écurie un cheval qu'il avait fallu opérer dès sa naissance à cause d'une malformation, et qui n'avait jamais atteint la taille adulte. Il était resté un peu plus grand qu'un poney, et convenait très bien pour un enfant de l'âge de Darcy.

« Comment s'appelle ce petit cheval ? avait un jour demandé l'enfant alors que Kim l'emmenait aux écuries.

— On l'a prénommé Bogue à cause de sa couleur châtaigne. Ce n'est pas très joli, je sais, mais nous pensions qu'il ne vivrait pas, expliqua la jeune femme.

— On peut le monter ? s'était enquis le petit garçon.

— Bien sûr. Tu fais du cheval à l'école, n'est-ce pas ? »

Et comme l'enfant hochait la tête, Kim avait proposé.

« Tu veux essayer ?

— Oui, si c'est possible, avait répondu Darcy, toujours poli à l'extrême.

— Pas de problème, on va lui trouver une selle, je te prêterai une bombe, et nous irons nous promener tous les deux. Je tiendrai Bogue à la longe le temps que tu apprennes à le connaître… »

Et c'est ainsi que, chaque fois que Darcy revenait à Saldanha, Kim partait en promenade à cheval avec lui.

Et puis un beau jour, il avait lancé :

« Je peux donner un autre nom à Bogue ? »

Kim n'avait pas caché pas sa surprise.

« Tu as une idée ?

— Oui, j'aimerais l'appeler Eclair de feu. »

Kim avait regardé attentivement le petit cavalier et sa monture ; le visage enthousiaste du premier, et l'attitude patiente du cheval qui n'avait pas grandi : en voilà deux qui s'étaient bien trouvés.

« Super ! s'était-elle exclamée, ça lui va à merveille !

— C'est vrai ? avait demandé craintivement le gamin.

— Oh oui ! »

Mattie venait de s'immobiliser devant l'écurie. Kim sauta à terre et consulta sa montre. Il était tard, maintenant, elle avait perdu beaucoup de temps à rentrer, perdue dans ses pensées. Mary devait l'attendre pour lui servir son petit déjeuner. Laissant au palefrenier le soin de desseller sa jument, la jeune femme regagna la maison à la hâte.

Mais rien ne parvint à la distraire de son monologue intérieur et, une pensée en amenant une autre, elle se prit à s'interroger sur la mère de Darcy. Car elle ne savait strictement rien d'elle, n'ayant jamais questionné Reith à son sujet. Pourquoi ? Par orgueil, sans doute : elle aurait eu l'impression de s'abaisser en le faisant. Mais aussi peut-être parce qu'elle redoutait les réponses de son mari ? C'était possible. N'empêche que, maintenant, les questions qui la tracassaient demeuraient sans réponse : quel âge avaient-ils quand ils s'étaient connus ? Reith était-il tombé fou amoureux au premier regard ? Cette infortunée jeune femme avait-elle été l'amour de sa vie ? Cela expliquerait peut-être qu'il lui ait proposé, à elle, un mariage sans amour... Oui, c'était sans doute la raison : il savait depuis la mort de la mère de Darcy qu'aucune femme ne la remplacerait dans son cœur...

Kim acheva sa tasse de café, avant de monter dans sa chambre prendre une bonne douche qu'elle termina par un rapide jet d'eau glacée, comme tous les matins.

Tout en se séchant, elle se reprochait encore de n'avoir pas posé à Reith les bonnes questions, et c'est l'esprit ailleurs qu'elle choisit sa lingerie : un minuscule string de soie vert pomme avec un soutien-gorge assorti. Après quoi, ayant décidé de passer la matinée à s'occuper du jardin, et tout l'après-midi à la cave de Balthazar afin de préparer les lieux pour le défilé de mode, elle enfila un jean et une chemise de coton rose. Ce n'est qu'une fois devant sa coiffeuse qu'elle s'avoua enfin la question qu'elle avait refoulée depuis la veille, quand Reith l'avait laissée sur le pas de la porte avant de repartir pour Perth.

Qui était-il allé retrouver ?

Car il fallait être réaliste et cesser de croire que Reith menait une vie monacale pendant qu'elle-même s'accrochait à son orgueil et refusait de partager sa chambre. Avait-il une ou plusieurs maîtresses ?

Dans le premier cas, comment était-elle ? Quel genre de femmes préférait-il ? Les blondes ou les brunes ? Les rousses étaient plus rares...

Oh ! assez ! se fustigea la jeune femme. Plus de pensées stériles ! Elle n'allait tout de même pas être jalouse d'une ou de plusieurs inconnues ! Surtout quand la plus grande partie du temps elle haïssait Reith !

6.

Le jour du défilé de mode arriva. Keith n'avait toujours pas reparu. Le beau temps non plus n'était pas au rendez-vous car, dès le matin, il s'était mis à pleuvoir des cordes.

Kim avait choisi de porter une audacieuse tunique de mousseline taupe signée Chilli George et assortie d'un pantalon cigarette de soie ivoire. Une tenue très élégante, mais qui aurait mieux convenu à une belle journée enso-leillée…

L'aire de parking de Balthazar ne tarda pas à être bondée, et, bien qu'elle fût proche de la cave, acheminer les visiteurs jusqu'au lieu du défilé posa vite un vrai pro-blème de logistique.

Pour ne rien arranger, les intempéries provoquèrent une coupure de courant, et il fallut allumer des bougies en attendant que le générateur de secours prenne la relève. Malgré cela, grâce au champagne qui coulait à flots, l'am-biance restait bonne parmi les invités.

En coulisses, en revanche, c'était une autre affaire ! Chilli George était en pleine crise d'hystérie : le mauvais temps d'abord, puis la panne de courant l'avaient déjà mise dans un état de nerfs insensé, et lorsqu'elle apprit que son assistant ne pourrait pas arriver, bloqué sur la route par une rivière en crue, elle perdit son sang-froid.

— Que veux-tu que nous fassions sans mon assistant ? s'écria-t-elle à l'adresse de Kim qui venait d'entrer en coulisses. Les filles n'ont aucune idée des accessoires à choisir avec chaque tenue !

Kim tenta de la raisonner, faisant valoir que les mannequins devaient bien savoir ce qu'elles avaient à porter. Mais un regard au désordre indescriptible qui régnait autour d'elle — vêtements éparpillés, colifichets, ceintures, foulards, chaussures, coffrets de maquillage dispersés un peu partout — ébranla vite sa belle certitude.

— Il faut absolument quelqu'un pour les aider, reprit la styliste. Fais-le, Kimberley, je t'en supplie…

Le ton avait changé soudain. Chilli la suppliait, et Kim ouvrit de grands yeux ronds.

— Aider les mannequins ? Choisir les chaussures et les accessoires pour aller avec leurs tenues ? Tu n'y songes pas, Chilli ! J'en serais bien incapable.

— Dans ce cas, on annule le défilé ! menaça celle-ci, toute son agressivité retrouvée.

Et elle se prit le visage dans les mains comme si elle allait éclater en sanglots.

— Ne dis pas de bêtises ! protesta aussitôt Kim. Les invités rêvent de voir ta collection. Ils ont payé pour cela une somme rondelette, et ont bravé la pluie. Nous n'allons pas les décevoir. Mais j'ai une idée : tu devais te tenir sur le podium et présenter chaque modèle au public. Même si tu sais par cœur ton texte, tu dois bien avoir des notes. Passe-les moi, je prendrai ta place au micro, et toi tu aideras les filles en coulisses.

— Il n'en est même pas question ! s'insurgea aussitôt la styliste, tandis que l'un des mannequins, riant sous cape, passait discrètement une feuille dactylographiée à Kim et lui glissait à l'oreille :

— Ça m'étonnerait qu'elle accepte quand, au premier rang, il y a le plus bel homme de la Création.

Fronçant les sourcils, Kim risqua un bref regard derrière le rideau de scène : il n'y avait qu'un seul individu de sexe masculin, au premier rang : Reith… en grande conversation avec Molly Lawson !

Sur le coup, la jeune femme l'aurait volontiers étranglé ! Il était, bien sûr, d'une élégance rare, arborant un blouson en cuir marine et un jean qui faisait paraître ses jambes encore plus longues, et il semblait tellement à l'aise que c'en était insultant ! Dire que Kim avait dû assurer l'organisation toute seule, faire face aux intempéries, à la panne de courant, et bien d'autres imprévus encore ! Comment osait-il apparaître ainsi, surgi de nulle part, séduisant comme jamais, et se comportant comme s'il ne s'était rien passé entre elle et lui ?

Et puis soudain, la jeune femme se figea au souvenir du dîner chez les Lawson. Chilli George avait marqué un intérêt certain pour Reith. Kim n'y avait pas prêté attention, mais maintenant elle comprenait pourquoi la styliste ne voulait surtout pas disparaître en coulisses pendant le défilé… D'un seul coup toute son indignation se reporta sur Chilli, et se tournant vers elle, elle déclara d'un ton glacé :

— C'est ça ou rien, Chilli. Si tu veux annuler, à ta guise, je ne m'y opposerai pas, même si je dois rembourser les gens.

Chilli se reprit tout de suite.

— Non, maintenons la présentation, mais s'il te plaît va me chercher une coupe de champagne, et même la bouteille… J'en ai grand besoin !

Il était tard, ce soir-là, quand Kim regagna Saldanha. La pluie avait cessé, mais l'atmosphère restait humide et fraîche.

En pénétrant dans la maison, après s'être débarrassée de ses chaussures, la jeune femme hésita. Mary avait, comme à son habitude, laissé quelques lumières allumées, dont celles, tamisées, du salon. Pourquoi ne pas aller boire un grand verre de jus de fruits sur le canapé, plutôt que de monter directement dans sa chambre ? Elle se détendrait peut-être, et penserait moins à Reith. D'ailleurs, où était-il ? Kim l'avait vu quitter la cave de dégustation après le défilé de mode, et depuis, mystère…

Haussant les épaules, elle alla dans la cuisine se servir puis revint à pas lents dans le salon où elle s'arrêta net.

Reith lisait un journal dans un fauteuil, un verre de cognac posé sur la petite table à côté de lui. Il leva les yeux vers elle, mais ne prononça pas un mot

— Tu es… ici ?

— Tu m'adresses la parole, maintenant ? railla son compagnon.

Kim était fatiguée, la journée avait été dure, et elle n'avait pas envie de discuter.

— Pourquoi je ne te parlerais pas ? demanda-t-elle d'une voix lasse.

— Vu la façon dont tu m'as ignoré pendant le défilé, je pouvais me poser la question : pas une fois tu n'as daigné me regarder, quand tu étais sur scène avec ton micro…

— Tu attendais quoi ? Voilà presque une semaine que tu as disparu, je ne savais même pas où tu étais, et tu aurais voulu que je te saute au cou ?

Sans parvenir à cacher son indignation, elle ajouta sur le même ton :

— Tu sais, je ne suis pas assez naïve pour croire que tu vis comme un moine.

Reith eut un sourire moqueur.

— Pour ta gouverne, sache que j'ai dormi seul à l'appartement de Perth tous les soirs, sauf un où j'ai emmené Darcy et quelques copains voir un match de rugby. Mais dis-moi, qu'est-ce que ça peut bien te faire, puisque tu me détestes ?

Kim le dévisagea, et sa colère retomba. Elle but une

gorgée de jus de fruits pour se donner du courage et s'approcha lentement de son compagnon.

— Oui, admit-elle, il y a des moments où je te hais de toutes mes forces.

— Et le reste du temps ?

Kim hésita, puis se jeta à l'eau.

— Reith, le reste du temps, je ne sais que penser. J'ignore tout de toi, et je me pose sans arrêt des questions. Alors s'il te plaît, éclaire-moi. Et pour commencer, parle-moi de la mère de Darcy. Tu ne m'en as jamais rien dit. Pourtant, c'était ta femme.

— Que veux-tu savoir ? demanda-t-il avec impatience.

— Par exemple, comment vous vous êtes rencontrés. Vous êtes restés longtemps ensemble ? Bref, ce genre de chose…

— Quel rapport avec nous, Kim ? Cela remonte à plus de dix ans !

— N'empêche que je veux savoir, s'obstina l'interpellée. C'est difficile d'être mariée à quelqu'un qui reste un inconnu. Tu es un étranger pour moi.

Soudain, les larmes lui vinrent aux yeux, et elle ajouta :

— Si tu veux savoir la vérité, je regrette amèrement de m'être mise dans cette situation absurde avec toi.

— D'accord, marmonna Reith avec mauvaise humeur, parlons de ma première femme : c'était une fille de la campagne. Elle ne possédait ni ta classe ni ton éducation, mais sur un cheval elle ne manquait pas de panache. Quoi qu'il en soit, au bout de six mois de mariage, nous n'avions plus rien à nous dire, mais elle était enceinte… et puis Darcy est arrivé, et elle a succombé à une infection très rare. Je crois qu'elle savait…

Comme il n'allait pas plus loin, Kim le pressa :

— Elle avait compris que tu n'étais plus amoureux d'elle ?

Reith détourna les yeux.

— Oui, mais l'avais-je jamais été ?

Un lourd silence s'installa entre eux, et ce fut Kim qui le rompit enfin, demandant à voix basse :

— Tu penses vraiment que cette triste histoire t'a laissé indemne ? Tu n'en as peut-être pas conscience, mais j'ai toujours senti chez toi une réserve, comme si tu cherchais à te protéger de toute atteinte extérieure.

— Tu dis des bêtises ! s'exclama Reith avec irritation, je ne me défends de rien du tout !

Kim ne se laissa pas démonter :

— Pareille tragédie laisse des traces, surtout quand on s'en sent en partie responsable.

— Faux ! Je ne suis pour rien dans la mort de la mère de Darcy.

— Il ne s'agit pas de sa mort, insista Kim, mais de n'avoir pu l'aimer, ou d'avoir cessé de l'aimer comme peut-être elle le méritait. Cela arrive à beaucoup de gens, mais certains s'en remettent mal, et deviennent cyniques.

Elle s'interrompit quelques instants avant de reprendre :

— Je me demande même si ce n'est pas cette expérience passée qui t'a poussé à m'imposer un mariage sans amour. Et à te l'imposer à toi-même…

— Je ne t'ai rien imposé, se défendit âprement Reith, tu pouvais refuser, disparaître avec tes parents et ton frère. Au moins ton amour-propre n'aurait pas souffert, même si vous vous étiez retrouvés tous les quatre à la rue.

Il avait marqué un point car la jeune femme s'empourpra. Comment lui expliquer qu'elle ne s'était pas sentie le courage de décliner son offre à cause de ses parents ? Comme toujours quand elle ne trouvait pas d'arguments, elle opta pour l'agressivité :

— Si tu crois que je t'ai épousé pour ton argent, tu te trompes ! assena-t-elle avec violence. Je ne pouvais pas abandonner mes parents, c'est tout !

— Mon argent ne t'intéresse peut-être pas, ironisa son compagnon, mais le dépenser n'a pas semblé te gêner.

Cette dernière phrase était accompagnée d'un regard

circulaire plein de sous-entendus. Kim prit aussitôt la mouche :

— Inutile d'essayer de me culpabiliser, s'insurgea-t-elle, pointant fièrement le menton en avant. J'ai fait des travaux à Saldanha, comme n'importe quelle autre épouse l'aurait fait. Cependant, si tu as jamais imaginé que, parce que tu étais riche, j'allais…

Elle se tut et Reith, plus sardonique que jamais, suggéra :

— Coucher avec moi, peut-être ? Eh bien, justement, cherchons quelles bonnes raisons tu aurais de le faire.

En deux enjambées, il fut auprès d'elle. Si près qu'elle cacha mal un long frisson. Elle aurait dû fuir, elle le comprit d'emblée. Cette maudite attirance physique toujours prête à surgir entre eux aux moments les plus inattendus ne devait pas prendre le dessus… Comment diable Reith réussissait-il encore à faire naître en elle pareil émoi ? se demanda-t-elle.

Comme il abaissait les yeux sur sa bouche et prenait sa taille, elle sentit son cœur s'accélérer de plus belle.

— Reith…

— Quelle bonne raison, oui ? murmura-t-il encore en penchant son visage vers le sien.

Il allait l'embrasser, elle n'en doutait pas, elle était prête à s'abandonner… mais il souffla encore, à peine audible :

— Tu te souviens ?

Kim ouvrit de grands yeux éperdus.

— Oui, oui… Bien sûr…

Il rit doucement.

— Moi non plus, je n'ai pas oublié. C'était ainsi, n'est-ce pas ?

Et cette fois, il l'embrassa.

Kim se tendit, mais quand, abandonnant sa taille, il prit son visage entre ses paumes et laissa glisser ses doigts le long de son cou, tout ce qu'elle avait ressenti lorsqu'ils s'étaient embrassés, toutes ces émotions, ces sensations violentes et exquises à la fois, lui revinrent en force, en même temps qu'elle retrouvait le bonheur de ce corps chaud et puissant contre le sien, le sentiment merveilleux d'être protégée, choyée, chérie, dans les bras de cet homme…

Elle avait le souffle court quand leurs lèvres se séparèrent, tenait à peine sur ses jambes, et c'est dans une sorte d'extase qu'elle planta ses yeux dans ceux de son compagnon pour y chercher l'écho de ce qu'elle-même ressentait.

C'est alors qu'un bruit qu'elle commençait à bien connaître rompit le charme : hélice d'un hélicoptère qui se posait à son emplacement habituel, non loin de la maison.

— Tu…, balbutia-t-elle, ne pouvant croire à l'évidence. Il vient pour toi ?

Reith hocha la tête.

— Je pars pour Geraldton, en effet.

— Et tu le savais ?

— Quoi donc ? Que je repartais ce soir ? Oui, Kim…

Elle s'arracha à ses bras, hors d'elle, et jeta d'un ton venimeux :

— Je ne voudrais pas te mettre en retard ! Et d'ailleurs, je suis fatiguée, après cette difficile journée. Demande à Alice de me communiquer tes déplacements au cas où ils coïncideraient avec les miens. Bonne nuit, Reith.

Le sommeil se déroba longtemps, cette nuit-là, et quand, aux petites lueurs de l'aube, Kim s'assoupit enfin, ce fut pour rêver à Reith. Reith avec une toute jeune femme ressemblant étrangement à Darcy. Celle-ci tentait de lui prendre la main, mais il s'éloignait…

Reith ne donna pas signe de vie pendant dix jours, et puis, sans prévenir, il reparut.

Il était près de 17 heures, la journée avait été radieuse, et Kim se préparait pour se rendre chez une voisine et amie qui organisait un barbecue. Elle était occupée à se brosser les cheveux quand un bruit de moteur dans l'allée de l'avenue lui fit dresser l'oreille. Etait-ce le 4x4 de Reith ? En tout cas, cela lui ressemblait. Pourtant, son mari devait être à Adelaïde, d'après la fidèle Alice.

La jeune femme gagna la fenêtre : c'était bien lui. L'instant d'après, des pas résonnaient dans l'escalier.

Brusquement Kim sentit la panique la gagner. Qu'allait-elle lui dire ? Elle ne l'avait pas revu depuis ce fameux soir, après le défilé de Chilli George…

— Kim ? Tu es là ?

Elle dut s'éclaircir la gorge pour répondre, tant elle était nouée. Et quand son mari apparut, elle crut que son cœur allait exploser.

— Je te croyais à Adelaïde ? réussit-elle à articuler.

Il haussa les épaules.

— Ma réunion a été annulée.

Sur ces mots, il détailla la jeune femme, appréciant visiblement sa longue jupe bleu-violet, sa chemise de soie mauve pâle, et la large ceinture turquoise qui faisait paraître sa taille plus étroite encore.

— Tu sors ? s'enquit-il.

Kim hocha la tête.

— Pippa Longreach organise un barbecue. J'avais prévenu Alice qui m'a dit tu serais à Adelaïde.

— Eh bien, heureusement que je suis de retour.

Reith rit et ajouta :

— Je vais pouvoir te protéger de Lachlan.

Kim ouvrit de grands yeux.

— Comment cela ?

— Allons, tu sais très bien que, même s'il est le petit ami de Pippa, il a un faible pour toi.

Il rit de plus belle avant d'ajouter :

— Donne-moi dix minutes, je prends une douche et je t'accompagne.

A peine avait-il disparu que Kim se sentit épuisée. Elle

avait tant redouté de le revoir ! Or tout s'était passé le plus naturellement du monde.

Hélas, le problème essentiel demeurait : comment se protéger contre le trouble et l'attirance qu'il faisait naître en elle ? S'il voulait l'embrasser comme le soir du défilé, aurait-elle le courage de le repousser ? Etait-elle capable de contrôler ses réactions physiques ? Rien n'était moins sûr…

7.

Les réceptions de Pippa Longreach étaient toujours très réussies.

Pippa était une artiste. A plus de cinquante ans, elle avait divorcé de son deuxième mari et vivait maintenant avec un homme plus jeune, Lachlan, beau comme une gravure de mode, mais sans beaucoup de conversation.

Pippa peignait, sculptait, et créait aussi des céramiques avec beaucoup de talent. Ses œuvres étaient présentes partout chez elle : dans la maison, sur la terrasse et dans le jardin.

Enfin Pippa était également une excellente cuisinière : dans son potager poussaient légumes et herbes fines ainsi que certains fruits, dont elle faisait de délicieux accompagnements pour ses barbecues devenus célèbres dans tout le voisinage.

Car on rencontrait toujours chez Pippa des gens originaux : des artistes célèbres, d'autres qui l'étaient moins, mais en général ses invités étaient intéressants.

Ce soir-là, la nuit était douce et l'on se pressait sur la terrasse et dans le jardin qu'éclairaient de jolies lanternes chinoises suspendues aux arbres. Les tables étaient dressées autour d'un grand barbecue où cuisait à la broche un porcelet entier : le plat de résistance, qui fut servi avec des légumes exquis.

Et puis, comme si cela ne suffisait pas, Pippa avait préparé pour le dessert une farandole de gâteaux : meringues couronnées de chocolat, choux garnis de crème fouettée, tartelettes aux fraises du jardin, petits soufflés au moka, oranges glacées, mini-puddings aux dattes et raisins secs, et même de ravissantes verrines de mousse à la rose et au gingembre. Une symphonie de couleurs et de douceurs qui ébahit Kim, quand elle vit arriver le chariot fièrement poussé par Pippa. Se tournant vers Reith, la jeune femme vit avec amusement qu'il se posait la même question qu'elle : comment résister à la tentation ? Elle éclata de rire, et Reith l'imita.

Il portait un jean, une chemise en lin beige et des boots. Pendant le dîner, il avait été d'une agréable compagnie, naturel et discret. Et voilà qu'il remplissait le verre de vin de Kim, avant de prendre une nouvelle bière dans un seau rempli de glace. Il la décapsula d'un geste précis et remplit son verre.

— A nous, dit-il en le levant pour l'entrechoquer avec celui de la jeune femme.

Celle-ci fit de même, répétant à voix basse, mais sans le regarder :

— A nous.

— Cela ne s'est pas trop mal passé, si ? demanda-t-il, guettant sa réaction.

Kim détourna les yeux.

— Je… euh, je ne vois pas à quoi tu fais allusion, mais oui, c'était une soirée réussie.

— Je parlais de nous, Kim. La dernière fois que nous nous sommes trouvés ensemble, l'atmosphère était plutôt… disons déconcertante mais, ce soir, nous étions bien, non ?

Kim qui avait rougi baissa les yeux.

— Evidemment, il est toujours plus facile d'afficher une entente polie quand il y a du monde, reprit Reith, narquois. C'est quand nous sommes seuls comme l'autre soir que la situation se tend entre nous. On dirait que nous ne parvenons plus à nous contrôler.

Kim se mordit la lèvre.

— Je savais bien que tu reviendrais sur le sujet. Faut-il vraiment parler de ce qui est arrivé l'autre soir ?

Il lui prit le poignet pour jouer avec la fine chaîne d'or qu'elle portait en bracelet.

— J'aimerais en effet savoir ce que tu en penses.

La jeune femme hésita avant de murmurer comme si chaque mot lui en coûtait :

— L'attirance physique est une chose, mais est-ce suffisant ?

— Tu veux dire qu'il faut aussi des sentiments ?

— Oui.

— Comment savoir ? Peut-être que seul le temps peut dire si on s'aime vraiment ou pas, tu ne crois pas ?

Kim s'entendit alors demander :

— Comment s'appelait-elle ? La mère de Darcy…

Elle vit le visage de son compagnon se fermer, et s'attendait à ce qu'il élude la réponse, mais non.

— Sylvia.

— Etait-elle… Non, rien.

Une force en elle l'obligeait soudain à cesser d'interroger Reith sur sa première femme, mais par association d'idées elle songea à la vie qu'il avait eue jadis.

— Tu m'as dit un jour que tu n'avais pas grandi dans une cabane de gardien de troupeaux. Où donc, alors ?

— Dans une grande station de bétail loin de tout, et j'allais à l'école du village où ma mère enseignait. Jusqu'au jour où elle est partie sans laisser d'adresse.

Kim baissa les yeux en même temps qu'elle intégrait ce qu'elle venait d'entendre. Le regard de Reith s'était fait froid et distant, comme si le sujet restait douloureux.

— Ton père s'occupait du bétail ? interrogea-t-elle doucement.

— Non, mon père était expert-comptable jusqu'au jour où il a été mêlé à une affaire d'escroquerie. Il n'y était pour rien et a été innocenté, mais le mal était fait. Il n'a plus retrouvé de travail dans sa spécialité et ne s'est pas remis de cette triste affaire. Plus tard, il a été embauché comme employé de bureau dans la station de bétail où j'ai grandi, et il y tenait la comptabilité. Rien de vraiment romantique, vois-tu.

— Comme c'est triste !

Reith haussa les épaules.

— Cette histoire l'a démoli. Il est devenu méchant, méfiant, et très dur envers les autres. Comment ma mère est restée avec lui si longtemps, je me le demande, mais j'ai du mal à lui pardonner de m'avoir laissé seul avec lui.

Kim semblait horrifiée, à présent. Elle aurait tant voulu comprendre !

— Parle-moi d'elle ?

— C'était une femme intelligente, active, dynamique, qui aimait rire et voyait toujours le bon côté des choses. Elle a dû comprendre un jour que ça n'irait jamais avec mon père, mais lui voulait à tout prix me garder. Elle a peut-être pensé qu'il se montrerait moins dur avec moi si nous n'étions plus que tous les deux.

Reith haussa les épaules avant de poursuivre :

— Tout ce qu'il a trouvé à dire après avoir lu la lettre qu'elle lui avait laissée, c'est : « Bon débarras ! »

— Il a été plus gentil avec toi après le départ de ta mère ?

— La gentillesse n'était pas son genre, non, mais c'est de l'histoire ancienne, maintenant, soupira Reith avec un sourire amer. Tu as parlé un jour d'un système de défense que j'avais érigé pour me protéger : je pense que Sylvia a ressenti la même chose, alors que moi je n'en avais aucune conscience. Je me rends compte aujourd'hui que tu as sans doute raison. Dommage que je ne l'aie pas compris avant.

Kim réfléchissait à ce qu'elle venait d'entendre, et brusquement une pensée lui vint, la poussant à poser presque contre son gré une question inattendue :

— Tu n'es pas trop dur avec Darcy, Reith ? Je veux dire, pourquoi l'avoir envoyé en pension ?

Reith, qui jouait toujours avec son bracelet, s'arrêta

instantanément, et après avoir bu une longue gorgée de bière, expliqua :

— C'est un excellent internat, et il semble y être heureux.

— Presque trop ! soupira Kim, à tel point que j'ai parfois l'impression qu'il est soulagé quand il regagne son pensionnat. Enfin, un peu moins depuis qu'il a ce brave cheval... A propos, je voulais justement te demander : le comté organise un concours hippique. Je peux y inscrire ton fils ?

— Si tu penses qu'il monte assez bien, pourquoi pas ? Il y a des épreuves de saut ? De dressage ?

— Je vais consulter le programme. Mais sais-tu, Darcy se débrouille très bien à cheval, maintenant.

Reith eut un sourire amusé :

— Cela n'a rien d'étonnant : il a du sang de cavalier par son père autant que par sa mère.

— Pourquoi ne viens-tu pas te promener avec nous, si tu aimes monter ?

— Il semble que je n'en aie jamais le temps.

Il y eut à cet instant un sifflement aigu : on tirait la première fusée d'un feu d'artifice, et dans le ciel s'épanouissait déjà une gigantesque fleur multicolore dont les éphémères pétales laissaient tomber au-dessus des spectateurs des myriades d'étincelles scintillantes. Clignant des yeux, Kim regarda le spectacle un moment, mais elle avait une idée en tête, qui lui était venue en entendant parler Reith de son enfance solitaire.

— Pourquoi ne pas mettre Darcy dans un externat ? demanda-t-elle enfin. Ainsi, nous le garderions à Saldanha.

Son compagnon réfléchit avant de déclarer, choisissant ses mots avec soin :

— Je ne suis pas sûr qu'il trouve à Saldanha le foyer idéal.

Kim prit aussitôt la mouche :

— Je n'ai jamais manifesté la moindre animosité

envers toi en sa présence, et ne me contredis pas, Reith, ce serait malhonnête.

— Je n'oserais pas ! se défendit-il aussitôt avec une feinte docilité. Je dis seulement que, quand on vit tout le temps avec quelqu'un, on ne se comporte pas de la même façon.

— C'est à cause de ton fils que tu m'as épousée ? s'entendit alors demander Kim qui n'y avait jamais pensé. Si c'est le cas, pourquoi ne pas me l'avoir dit ?

— Tu sous-entends que tu m'aurais épousé avec joie, si c'était pour offrir une vie de famille à Darcy ?

Reith pencha la tête de côté pour considérer sa femme et, feignant un air perplexe, il ajouta :

— Dommage que je n'y aie pas pensé. A ce propos, sachez, Kimberley Theron, que je n'avais aucunement l'intention de vous demander en mariage.

— Tu ne m'as pas demandée en mariage, tu m'as fait du chantage, riposta la jeune femme du tac au tac.

— Si tu veux, mais ce qui m'a décidé, vois-tu, c'est quand tu as pris farouchement la défense de ta famille, au café.

— Qu'attendais-tu ? Que je te soutienne contre mon père ?

Kim eut un geste d'impuissance, comme elle ne trouvait pas les mots pour exprimer sa frustration, mais déjà son mari expliquait :

— J'attendais que tu regardes la situation avec objectivité. Je pensais même que, toi et moi, nous étions assez proches pour que tu vérifies les faits avant de me jeter la pierre. Comment ne t'étais-tu jamais doutée que la situation de tes parents avait changé et que ton père était au bord de la faillite ?

Kim aurait voulu rétorquer par une remarque incisive et blessante, mais le souvenir lui revint soudain de la gêne qu'elle avait éprouvée, ce fameux jour, en répétant à Reith les arguments avancés par son père. Des arguments, elle l'avait senti obscurément, qui n'étaient ni rationnels ni convaincants. Elle but une gorgée de vin.

— Je suis fautive, avoua-t-elle, j'aurais dû me douter que tout n'allait pas pour le mieux dans nos affaires.

Elle secoua la tête avant de reprendre :

— Fallait-il que je sois aveugle ! Si ça peut te faire plaisir, Reith, je me reproche bien des choses, maintenant.

— La situation de ta famille ne pouvait pas durer, Kim. Si je ne l'avais pas fait, quelqu'un d'autre aurait repris vos propriétés, et votre vie aurait changé.

Une lueur amusée éclaira les yeux bleus de la jeune femme.

— Ce quelqu'un ne m'aurait peut-être pas mise devant le choix que tu m'as imposé, fit-elle valoir.

Reith ne répondit pas. Il la regardait intensément, et elle ne se doutait pas qu'elle lui offrait un profil délicat et parfait, contre le ciel éclairé par le feu d'artifice. Elle ne savait pas non plus que la pluie d'étincelles multicolores lui donnait un teint rose pailleté d'or, des cheveux lumineux et presque irréels, et que ses yeux scintillaient comme des saphirs.

Elle haussa un sourcil en lui voyant cette expression songeuse et lointaine.

— A quoi penses-tu, Reith ?

Il parut revenir de très loin, acheva sa bière et déclara enfin, après avoir posé son verre sur la table :

— Nous allons divorcer, Kim.

Et la voyant pâlir, il ajouta aussitôt :

— Ne t'inquiète pas pour tes parents. Je continuerai à les entretenir.

— Maintenant, j'espère que tu vas t'expliquer !

Ils venaient de rentrer à Saldanha. Leurs adieux à Pippa avaient été rapides, Kim étant bouleversée par ce que lui avait annoncé Reith. Ce dernier en revanche avait semblé très naturel, puis, pendant le trajet de retour, il avait conduit tranquillement mais sans adresser la parole à sa passagère, tandis que celle-ci tentait d'analyser les émotions qui l'assaillaient.

— Reith, reprit-elle, presque implorante cette fois, je veux comprendre.

— Il n'y a rien à comprendre, répliqua-t-il, ouvrant la porte d'entrée, c'est fini, voilà tout.

Il l'invita à le précéder dans la maison, avant d'ajouter :

— Je déménagerai mes affaires demain, c'est tout ce que j'ai à dire.

Kim entra dans le grand hall, attendit qu'il l'ait rejointe, puis elle l'arrêta en le prenant par le bras.

— Ecoute-moi, Reith, déclara-t-elle, détachant bien ses mots, depuis que je te connais, j'ai l'impression d'être une girouette qui tourne au gré de tes humeurs. Et pour ne rien arranger, j'en sais si peu sur toi que tu demeures complètement imprévisible. Maintenant, j'en ai assez ! Assez, m'entends-tu ? Passe-moi mes clés de voiture : elles sont sur la table, derrière toi.

— Où comptes-tu aller à une heure pareille ?

Reith avait parlé d'un ton dur.

— Je n'en ai aucune idée. Pourquoi pas à Perth, comme toi, l'autre nuit ? En tout cas, si tu refuses de t'expliquer, je ne resterai pas une minute de plus à Saldanha.

Le visage de Reith se durcit et, les dents serrées, il expliqua :

— Nous allons divorcer parce nous ne pouvons pas continuer ainsi. Tu ne me pardonneras jamais, et tu n'oublieras pas non plus. Nous n'allons pas passer des années à nous désirer l'un l'autre sans jamais faire l'amour, puis à nous disputer à la moindre occasion.

Kim le dévisagea sans répondre.

— Tu avais raison, reprit-il, je n'aurais jamais dû te demander de m'épouser. C'est moi qui ai eu tort.

Kim fut la première étonnée de s'entendre demander :

— Tu as pensé à Darcy ?

A son tour, son compagnon parut stupéfait.

— Je…

Comme il semblait incapable de préciser sa pensée, la jeune femme poursuivit :

— Tu ne t'en es pas rendu compte, mais nous commençons à bien nous entendre, lui et moi. Il adore quand nous nous promenons à cheval ensemble. Que lui diras-tu ?

— Je ne sais pas. Je n'y ai pas encore pensé. De toute façon, pour lui aussi il vaut mieux que nous nous séparions tout de suite.

— Non, je ne pense pas, chuchota Kim dont les yeux s'étaient emplis de larmes.

Reith le vit, mais ne dit rien, et son visage se ferma plus encore.

— Que proposes-tu ? finit-il par demander. Que nous restions dans cette situation infernale, en jouant la comédie en présence de Darcy ? Non, Kim, je refuse. Voilà des mois que nous avons envie l'un de l'autre. Je me trompe peut-être pour toi, quant à moi, je commence à devenir fou tant je te désire. Alors je n'ai qu'une solution : partir.

— Pourquoi m'avoir demandé de t'épouser, si c'était pour en arriver là ? gémit la jeune femme, le visage baigné de larmes, à présent.

Il réfléchit avant d'expliquer d'un ton âpre :

— Parce que figure-toi que, contrairement à ce que tu crois peut-être, j'ai mes faiblesses : je sors de nulle part, je ne suis pas allé dans une grande école, au contraire, j'ai dû me battre et me faire tout seul. Or ton frère et ton père ne m'ont pas ménagé, sur ce plan. Surtout ton frère, je dois dire.

— Comment cela ?

— A la rigueur, j'aurais compris la réaction de ton père : il est d'une autre génération, avec des critères de son âge. Mais Damien ! Quelle attitude insupportable il a eu envers moi ! Faisant valoir sur un ton condescendant que je n'avais aucune éducation, et qu'il était impensable de faire affaire avec l'arriviste que j'étais. C'était dur à entendre, Kim, surtout quand je savais que leurs ennuis étaient la conséquence directe de leur incompétence.

Comme la jeune femme ne disait rien, Reith poursuivit :

— Or voilà que le hasard te met sur mon chemin : tu es belle, désirable, chic, pleine d'assurance, bref une Theron plus vraie que nature !

Il s'arrêta avant de reprendre, narquois cette fois :

— Je dois tout de même t'avouer quelque chose, Kimberley : tu t'es révélée beaucoup plus difficile à séduire que je ne l'imaginais. Et si dans ta famille quelqu'un a du cran, c'est bien toi ! Les autres sont des mauviettes !

Une expression de choc mêlé de chagrin se peignit aussitôt sur le visage de la jeune femme, qui se détourna avant de s'éloigner.

— Kim...

Reith avait lancé son nom d'une voix dure et autoritaire, mais elle ne s'arrêta pas.

— Kim, dit-il encore, et cette fois, en deux enjambées, il fut devant elle pour lui barrer le chemin et la prendre par le bras.

— Pardonne-moi, Kim, je n'aurais jamais dû parler ainsi.

Il scruta son visage mouillé de larmes, ses yeux assombris par la peine.

— Je suis désolé, murmura-t-il encore, pardonne-moi, j'ai été brutal, je sais, mais je suis ainsi...

En parlant, il l'avait attirée contre lui, et avait chuchoté ces derniers mots tout contre ses cheveux.

La jeune femme qui s'était mise à trembler voulut se dégager, mais Reith l'en empêcha. Puis, doucement, il la souleva dans ses bras pour la transporter dans le salon et la déposer sur le canapé où il prit place à côté d'elle.

Longtemps il demeura silencieux, se contentant de caresser ses cheveux comme elle restait blottie au creux de son épaule. Et peu à peu, elle cessa de trembler, mais resta ainsi sans bouger, tandis qu'un merveilleux sentiment de paix l'envahissait. C'était une sorte de soulagement extrême qui d'abord la troubla jusqu'à ce qu'elle en comprenne le sens : en dépit de tous ses tourments et après ces longs mois où elle avait lutté contre Reith, elle s'autorisait enfin le bonheur ineffable d'être dans ses bras. Et comme l'évidence lui apparaissait soudain, elle ouvrit les yeux et croisa les siens.

— Reith ? articula-t-elle dans un souffle.

— Oui, Kim…

Ils restèrent ainsi les yeux dans les yeux de longs, très longs instants, puis Reith l'attira plus étroitement pour prendre ses lèvres.

La chambre de maître était magnifique : blanche avec une moquette bleu-gris, et des rideaux ivoire assortis au couvre-lit de soie. Et ce fut sous la lumière tamisée des lampes de chevet qu'ils firent enfin l'amour. Kim resta longtemps immobile, nue sous le regard de Reith qui semblait s'imprégner de sa beauté, de ses courbes pleines, du satin de sa peau à peine dorée, et du triangle blond en haut de ses cuisses.

Et puis, ç'en fut trop. Elle allait mourir de désir, s'il ne la prenait pas. Elle ignorait comment elle avait survécu à son lent effeuillage, un peu plus tôt. Jamais elle n'avait imaginé prélude aussi érotique.

Et voilà qu'à présent elle le découvrait enfin, nu lui aussi, cet homme qu'elle désirait depuis si longtemps ! Sa beauté, sa force excitaient encore son désir, tout comme le contraste entre eux. Elle si fine, si vulnérable, si fragile, et lui, grand, fort, à la fois puissant et svelte, avec sa peau si douce couverte par endroits de poils sombres, soyeux, et ses mains…

Kim sentit un frisson parcourir tout son corps. Ces mains qui savaient si bien où elle était douce et femme, ces mains qui d'instinct lui donnaient ce qu'elle aimait, ce qu'elle rêvait depuis si longtemps de ressentir. Plus jamais elle ne pourrait regarder les mains de cet homme sans penser au plaisir insensé qu'elles faisaient naître en elle…

Il la caressa longtemps, longtemps, et enfin, alors qu'elle se cabrait dans l'anticipation de ce qui allait suivre, elle le sentit glisser entre ses cuisses pour la pénétrer lentement.

— Oh! Reith, souffla-t-elle, sentant tout son être se contracter pour mieux se resserrer sur lui, oh, oui…

Commença alors ce va-et-vient vieux comme le monde, mesuré d'abord, puis de plus en plus rapide, qui les mena jusqu'au septième ciel, qu'ils atteignirent ensemble, dans un même cri.

— Ça va?

Kim remua avec langueur contre son mari.

— Ça va très bien…

Reith tira sur eux la couette, prit la jeune femme dans ses bras, et la cala au creux de son épaule. Ils étaient si bien, uniquement soucieux l'un de l'autre, épanouis, emplis du bonheur qu'ils venaient d'éprouver. Et ce fut Reith qui finit par rompre le silence.

— Je me demande comment nous avons pu tenir aussi longtemps.

Kim lui passa doucement la main dans ses cheveux.

— Sans faire l'amour, tu veux dire? C'est que nous sommes des êtres humains, nous réfléchissons avant d'agir.

Elle se mit à rire, et il l'imita avant de l'embrasser.

— Tu sais, reprit la jeune femme en se relevant sur un coude, tu m'as rendue plus heureuse que je ne l'ai jamais été de ma vie.

Reith passa une main caressante sur sa joue.

— Je n'ai pas le droit de t'entendre dire des mots aussi merveilleux. Surtout après ce…

Il n'alla pas plus loin car elle avait posé un doigt sur ses lèvres :

— Chut… ne pensons pas au passé.

— J'aimerais pourtant t'expliquer…

Cette fois, elle le fit taire par un baiser.

Quelques semaines plus tard, elle reçut un matin un coup de téléphone d'Alice. Reith, pour la première fois depuis ce fameux soir après le barbecue de Pippa, avait dû s'absenter trois jours. Or Alice informait Kim qu'il voulait la retrouver à Perth l'après-midi même, pour l'emmener aux courses d'Ascot.

— Il a précisé que c'était une manifestation très élégante, ajouta-t-elle.

Kim marqua son étonnement.

— Je ne comprends pas, il ne m'en a pas parlé…

— Il aura oublié, plaida la gentille Alice qui ajouta avec un rien de malice : ces derniers temps, il a souvent la tête ailleurs…

Kim ne put s'empêcher de sourire à la pensée de son homme d'affaires de mari, toujours si professionnel, que sa femme obsédait maintenant au point de le rendre oublieux.

— Alice, dit-elle cependant dans l'appareil, je vais raccrocher pour me préparer en vitesse. Il faut deux heures de voiture pour se rendre à Perth, et je ne suis pas en avance.

— Ne vous inquiétez pas : l'hélicoptère passera vous chercher dans une heure, et, à Perth, la limousine vous prendra pour vous déposer au Burswood Hotel.

Kim fronça les sourcils.

— Pourquoi l'hôtel ?

— Parce que c'est là que Reith m'a demandé de retenir une suite. Rappelez-vous que l'appartement est en travaux.

Ah, j'allais oublier : prenez vos affaires pour la nuit, vous ne repartirez avec lui que demain.

— Entendu, merci, Alice, je file m'habiller.

La jeune femme arriva bien en avance au Burswood, un splendide hôtel au bord de la rivière Swan, dans l'un des quartiers les plus chics de Perth. Après avoir défait son petit sac de voyage, elle s'inspecta dans le miroir en pied. Sa robe en lin noir très élégante avait un corsage ajusté et une jupe à volants qui s'arrêtait au genou. Elle l'avait assortie de bas à couture noirs, très fins, et d'escarpins en daim, noirs aussi, à talons aiguille. Ses cheveux blonds étaient libres, mais elle les avait plaqués de sorte que son fin visage semblait sculpté comme une médaille. Enfin, elle portait autour du cou un simple rang de perles. Satisfaite de l'image que lui renvoyait la glace, la jeune femme sortit alors d'un petit carton à chapeau une aigrette faite de tulle noir à paillettes et montée sur un peigne d'écaille. Prenant soin de ne pas déranger ses cheveux, elle le plaça légèrement sur le côté. Elle portait sur son reflet un regard critique quand son mari apparut.

Il s'immobilisa sur le seuil de la porte avant d'avancer lentement dans sa direction.

Kim ne bougea pas d'un pouce comme il s'arrêtait à moins de un mètre d'elle. Leurs regards se croisèrent et se soutinrent.

— Bonjour, articula-t-elle à voix très basse.

Il la dévorait littéralement des yeux, depuis ses chaussures à hauts talons jusqu'à la pointe de son aigrette si élégante.

— Bonjour.

Enlevant sa veste, il la jeta sur le dossier d'un siège avant de desserrer sa cravate.

— Tu ne m'avais pas parlé de ces courses, murmura Kim, consciente de l'étrange tension entre eux.

— Non, je les avais oubliées, et je crois que je vais les oublier de nouveau.

— Que veux-tu dire ?

Il ôta sa cravate qui alla rejoindre la veste, avant d'expliquer d'une voix traînante, presque lascive :

— La prochaine fois que je déciderai d'aller aux courses, nous n'aurons pas été séparés deux nuits d'affilée.

— Je vois, rétorqua la jeune femme le plus sérieusement du monde, avant d'ajouter avec un geste indiquant sa tenue : en d'autres termes, Reith Richardson, je me suis donnée tout ce mal pour rien ?

— Tout dépend de ce que tu appelles rien, riposta son mari du tac au tac avant de lui entourer la taille d'un bras possessif, mais je tiens à te dire aussi que même si je t'avais fait l'amour toute la nuit, j'éprouverais quand même en cet instant un besoin aussi irrésistible que sauvage.

— Que veux-tu dire ? fit mine de s'étonner Kim.

— Eh bien, que j'ai envie de t'arracher tes vêtements pour t'avoir nue toute à moi, abîmer ton maquillage en t'embrassant, déranger tes cheveux en te caressant. Bref, te faire l'amour comme un fou !

Kim rit doucement avant de tendre sa bouche à son mari, et elle ne protesta pas quand ayant trouvé la fermeture Eclair dans le dos de la robe, il l'ouvrit.

En vérité, ce fut elle qui fit glisser le vêtement sur le sol avant de se débarrasser de son petit soutien-gorge en dentelle noire, puis de son porte-jarretelles, et enfin de ses bas très fins. C'est alors qu'elle pensa à l'aigrette et l'enleva aussi avec un petit rire étouffé.

Dès lors, tous deux furent saisis d'une urgence extrême. Reith se déshabilla en toute hâte à son tour, puis entreprit de caresser la jeune femme, tandis qu'elle-même lui rendait caresse pour caresse, leurs mains affolées, leurs corps frénétiques, leurs respirations sifflantes. Mus par une exigence toujours plus insensée, ils n'eurent même pas le temps de gagner le lit et s'étendirent sur l'épaisse moquette.

Et c'est là qu'ils jouirent ensemble, tous deux incapables de résister davantage à la violence physique de leur désir.

Ils restèrent dans les bras l'un de l'autre un long moment, jusqu'à ce qu'enfin leurs respirations s'apaisent et qu'ils s'épanouissent, détendus, heureux, leurs âmes et leurs cœurs aussi proches que leurs deux corps assouvis. Kim était sur le point de s'assoupir quand Reith chuchota tout contre sa joue :

— Tu es d'attaque pour aller à Ascot ?

Kim acquiesça et passa la première sous la douche. Reith prit sa suite pendant qu'elle se rhabillait, et reparut dans la chambre au moment où, vêtue seulement de son petit soutien-gorge noir et de son porte-jarretelles, elle enfilait avec précaution son premier bas noir.

— Sais-tu que tu m'offres un spectacle hypersexy ? déclara son mari.

Kim se redressa.

— Tu trouves ?

— Oui. C'est la première fois que je te vois en porte-jarretelles. Cela t'arrive souvent ?

— Pas vraiment, mais certaines tenues exigent de la lingerie sophistiquée.

— C'est sans doute vrai, néanmoins permets-moi de te donner un conseil : finis vite de te rhabiller sinon il n'est pas sûr que nous allions aux courses.

Kim éclata de rire avant d'enfiler son second bas, puis de passer sa robe.

— Cela va mieux ainsi ? demanda-t-elle, riant toujours. Il faut que tu m'aides pour la fermeture Eclair.

S'approchant de Reith, elle se nicha dans ses bras avant de se retourner pour lui offrir son dos, trop heureuse pour se rendre compte que le regard de son mari s'était troublé.

En effet, songea soudain celui-ci, son système de défense n'était plus aussi solide. Kim l'avait ébranlé au point que les ténèbres qui assombrissaient son cœur depuis si longtemps commençaient à s'éclaircir.

Etait-ce raisonnable ? Parviendrait-il un jour à avoir pleinement confiance en cette femme si belle, qui était désormais la sienne ? Il fronça les sourcils à cette pensée. Que craignait-il au juste ? Qu'elle redevienne une Theron, avec tout l'orgueil et la morgue qui caractérisaient sa famille ? Et dans ce cas, elle jugerait certainement qu'il n'était pas assez bien pour elle…

— Reith, ça va ?

La voix de Kim le ramena au présent.

— Tout à fait. On y va dès que tu es prête. J'en ai pour une minute…

8.

Ils s'amusèrent beaucoup aux courses. Kim paria et gagna deux fois, et, pour fêter sa chance, ils burent du champagne. L'élégance du public, les splendides chevaux, les tuniques colorées des jockeys, tout contribuait à l'atmosphère de fête, et Kim en profita pleinement.

En vérité, elle était très heureuse car elle éprouvait enfin un sentiment de communion avec son mari. Ils étaient ensemble au sens le plus intime du terme, Reith lui souriait à tout instant, lui prenait la main, et, même quand ils ne parlaient pas, elle le sentait à l'unisson avec elle.

Seule ombre au tableau : elle repéra son frère Damien dans la foule des passionnés de chevaux.

Il était en compagnie d'une superbe blonde un rien tapageuse et d'une demi-douzaine d'amis, et, s'il vit sa sœur, il n'en montra rien. A plusieurs reprises Kim tenta d'attirer son attention par un geste de la main, mais il se détourna.

Elle en fut réellement blessée. Même son père commençait à s'habituer à son mariage. Alors pourquoi Damien ne lui pardonnait-il toujours pas ? Ses chevaux de polo n'étaient plus à Saldanha : un beau matin, il était venu les enlever, et on ne l'avait plus revu.

Certes son amour-propre avait subi un rude coup puisque c'était Reith qui avait révélé au grand jour son incompétence en affaires… Et sa rancune envers sa sœur s'expliquait peut-être aussi par le fait qu'elle était maintenant maîtresse de Saldanha, un domaine dont il aurait dû hériter. De toute façon, qu'y faire ? Mieux valait ne plus penser à lui.

Heureusement, Kim fut très occupée après les courses parce qu'en rentrant à Saldanha avec Reith ils passèrent chercher Darcy à son internat. C'était en effet les vacances de mi-trimestre, et Kim avait des projets bien précis.

Déjà, voilà quelques semaines, elle avait contacté Alice pour la prévenir qu'elle voulait Reith à Saldanha pendant les trois jours de vacances de son fils. Que celle-ci veille à ne prévoir ni réunion ni voyage. Alice avait été ravie d'obtempérer.

Kim avait ensuite choisi un cheval susceptible de convenir à son mari, l'avait fait ramener du paddock et monté à quelques reprises pour le tester.

C'est ainsi que, le lendemain de l'arrivée de Darcy, tous trois chargèrent les chevaux dans un van et s'en furent galoper sur la plage.

C'était une journée fraîche et couverte, avec des petites pluies intermittentes. Les trois cavaliers chevauchèrent d'abord au petit galop, tous se dressant en cadence sur leurs étriers afin de moins sentir le sable dur et mouillé que foulaient leurs montures. Kim et Darcy étaient emmitouflés dans des anoraks et des survêtements, tandis que Reith portait un caban marine sur un jean. Son aisance à cheval était stupéfiante, bien que le projet de la jeune femme l'ait tout d'abord pris de court, quand elle le lui avait annoncé au petit déjeuner, le matin même.

— Je ne suis pas monté depuis des années, avait-il protesté.

— Ça ne s'oublie pas, avait rétorqué Kim.

Il l'avait alors regardée, fronçant à peine les sourcils.

— Je commence à comprendre pourquoi je n'ai aucune

réunion ces jours-ci, marmonna-t-il feignant un ton de reproche. Tu n'aurais pas soudoyé Alice ?

— Moi ? s'exclama la jeune femme, mimant à merveille un air offusqué.

— Oui, toi…

Heureusement Darcy était là qui sauva la situation. Tout excité à l'idée de cette promenade, il s'exclama :

— Oh ! viens avec nous, papa, Eclair de feu sera si content. Il n'a jamais vu la mer, n'est-ce pas, Kim ?

— Non en effet. D'ailleurs il risque d'être un peu désorienté, alors ne le pousse pas trop.

Radieux, l'enfant demanda à son père :

— Puisque tu n'es pas monté depuis longtemps, veux-tu que Kim te tienne à la longe, comme moi au début ?

Kim réprima à grand-peine un accès de rire en voyant l'air vexé de son mari, qui se reprit vite :

— Non, Darcy, ça devrait aller, assura-t-il le plus sérieusement du monde.

Tous trois s'amusèrent comme des fous à galoper sur le sable, menant parfois les chevaux dans l'eau peu profonde, de sorte que leurs sabots soulevaient des gerbes d'écume pour le plus grand bonheur de Darcy. Puis Kim, la première, ralentit l'allure, laissant le père et le fils continuer à galoper. Loin derrière eux, elle avait remis Mattie au pas, et flattait son encolure luisante de sueur.

Cette journée rapprocherait-elle le père et le fils ? Si Reith trouvait le temps de monter régulièrement avec Darcy, cette activité commune créerait-elle entre eux un lien solide ? L'avenir le dirait.

*
* *

Ce soir-là, Darcy était déjà couché, et Kim, assise à la coiffeuse de la chambre, s'enduisait le visage de sa crème de nuit quand elle entendit son mari lancer :

— Sais-tu que tu es maligne ?

La jeune femme se retourna sur son tabouret. Elle portait une sage chemise de nuit en coton très fin, avec un haut nervuré et des poignets agrémentés de petits volants.

— Maligne, dis-tu ?

— Je n'avais jamais pensé que les chevaux pourraient me rapprocher de mon fils. J'ai essayé le rugby, le golf, la gymnastique, mais…

Il acheva sa phrase par une grimace, et Kim fit valoir :

— Sans doute parce que tu ne l'avais jamais vu sur un cheval.

— C'est possible, oui. En tout cas, je commence à me dire que nous pourrions le garder ici. Il n'a peut-être plus besoin d'être interne.

— Oh ! Reith, s'exclama la jeune femme avec un sourire radieux, ce serait merveilleux ! Et je crois qu'il en serait très heureux.

Reith ne répondit rien, restant pensif jusqu'au moment où il murmura :

— Viens donc te coucher.

Kim obéit après avoir éteint la lumière centrale, de sorte que seules les lampes de chevet restaient allumées.

— C'est une vraie chemise de grand-mère que tu portes là, plaisanta son mari en l'attirant dans ses bras.

— Tu ne crois pas si bien dire, c'est un modèle qu'affectionnait déjà mon arrière-grand-mère, et je l'aime aussi, elle est douce et chaude, maintenant que les nuits sont fraîches.

La jeune femme rit à son tour, comme son mari déclarait :

— Que tu l'aimes ou pas, tu vas devoir l'enlever, ma chérie.

Kim fit mine de ne pas comprendre :

— Tu parles de ma chemise de nuit ? Pourquoi donc ?

Il l'embrassa légèrement sur la bouche avant d'effleurer l'un de ses seins :

— Parce que je compte bien te tenir chaud, et même davantage, madame Richardson.

Ils avaient fait l'amour avec passion, langueur, volupté, et demeuraient dans les bras l'un de l'autre, fatigués et heureux, épanouis dans l'harmonie de leurs corps assouvis, quand Reith, contre toute attente, proposa :

— Puisque tu t'es arrangée pour que je reste deux jours encore à Saldanha, si nous allions faire un tour à Clover Hill ?

Kim ne put réprimer un mouvement de tension. Il le sentit et voulut la rassurer.

— Juste pour voir la propriété… Je pensais emmener Darcy. Après tout, il en héritera un jour.

Kim se releva sur un coude :

— D'accord. Quelqu'un habite la maison ?

— Non, mais j'y ai mis un gardien.

La jeune femme se détendit comme son mari l'attirait plus étroitement contre lui. Revoir Clover Hill ne pouvait plus lui faire de mal, se dit-elle avant de s'endormir d'un sommeil paisible.

Ils s'y rendirent donc le lendemain matin. Sunny Bob était de la partie, et Darcy fut visiblement impressionné.

D'abord par les trois splendides étalons que possédait le haras, ensuite par le cheptel de poulinières avec leurs adorables poulains, et puis par les enclos et les écuries à côté desquels ceux de Saldanha semblaient ridiculement petits.

Les poulains en particulier enchantèrent l'enfant, et comme il s'était approché de l'un d'eux pour le caresser sans que le petit manifeste la moindre crainte, Reith lui dit :

— Tu tiens de ta mère : elle n'avait pas son pareil avec les bébés des poulinières.

— C'est vrai ? demanda l'enfant dont le regard trahissait l'avidité à en savoir plus.

Kim eut soudain les larmes aux yeux, et en comprenant que Reith s'apprêtait à parler de sa première femme avec son fils, elle s'éloigna pour les laisser seuls et aller visiter la maison.

Implantée sur une petite hauteur, c'était une belle bastide de deux étages, enfouie sous la vigne vierge, avec une vue spectaculaire embrassant, bien au-delà des enclos et de la campagne environnante, les collines plus éloignées.

Parcourant les vastes pièces silencieuses et désertes, mais encore partiellement meublées, Kim sentit peu à peu un étrange sentiment de paix la gagner.

Les précédents propriétaires, ne pouvant intégrer leurs meubles dans leur nouvelle résidence, plus petite, les avaient laissés. C'étaient de jolis meubles anciens qui semblaient faire partie de la vieille demeure qui, si elle ne pouvait se comparer à Saldanha, n'en était pas moins attachante, spéciale, pleine de charme.

Kim la retrouva comme la première fois que Reith l'y avait emmenée et, à l'étage, découvrit avec émotion une adorable chambre d'enfants, avec un petit lit en merisier, et une frise représentant Mary Poppins qui courait le long des quatre murs.

Il y avait aussi une lingerie avec une antique machine à coudre à pédale, et la chambre de maître donnait sur une loggia, juste au-dessus d'un majestueux jacaranda. Au printemps, quand l'arbre était en fleurs, ce devait être un enchantement.

Au rez-de-chaussée se trouvaient les pièces communes : salon, bibliothèque, salle à manger, qui toutes ouvraient sur une large véranda entourant la maison, quelques marches à peine au-dessus du jardin.

Kim sortit s'y promener et fut aussitôt sous le charme : immenses étendues de gazon, grands arbres centenaires, symphonie de couleurs des bulbes d'hiver en fleurs : narcisses, jonquilles, jacinthes, tulipes… Sans parler des petits sentiers qui serpentaient entre des plates-bandes de plantes autochtones, de vivaces, de succulentes… Et puis, bien sûr, il y avait la roseraie et ses magnifiques buissons de roses que la jeune femme avait tant admirés à sa première visite. C'était un jardin paradisiaque, et Kim, même si elle était fière du sien, à Saldanha, devait admettre qu'il ne supportait pas la comparaison.

Elle finit par s'asseoir sur un banc, dans la roseraie, avec la maison dans son dos, et se laissa pénétrer par le parfum des fleurs et la sérénité ambiante.

L'histoire de Clover Hill était-elle moins chaotique que celle de Saldanha ? Son histoire récente, certainement…

— Te voilà donc !

La voix de Reith tira la jeune femme de ses pensées. Il arrivait avec Darcy, et Sunny Bob suivait, trottinant joyeusement.

— Qu'en penses-tu ? demanda-t-il, embrassant d'un vaste geste du bras la propriété et la maison.

Kim chercha un mot assez fort pour rendre justice à Clover Hill.

— C'est un endroit extraordinaire, admit-elle enfin.

Reith la fixa longtemps, comme s'il cherchait à percer ses pensées, mais il ne dit plus rien sur le sujet, et bientôt tous trois regagnèrent la voiture.

Darcy, en grande forme, ne cessa de bavarder pendant le trajet du retour, parlant avec animation de ce qu'il avait vu. C'était, se dit Kim à un moment, un autre enfant que celui, distant et taciturne, qu'elle avait connu quelques mois plus tôt : Darcy devenait expansif, rayonnant, et parfois même indiscipliné, comme tous les gamins de dix ans.

Si les conflits autour de Saldanha avaient provoqué des dissensions graves dans la famille Theron, ils avaient au moins profité à Darcy, songea-t-elle encore.

A table, ce soir-là, Reith lui demanda ce qu'elle avait prévu pour le lendemain.

En l'absence de Mary dont c'était le jour de congé, Kim avait préparé le dîner qu'elle avait servi dans la petite salle à manger d'hiver. C'était un repas simple : steak, pommes de terre sautées et salade, mais il fit le bonheur de Darcy qui s'exclama :

— Eh bien toi, au moins, Kim, tu sais ce qui plaît aux enfants.

— C'est vrai ? Tant mieux, répondit-elle avant de se tourner vers Reith pour ajouter : je n'ai pas de programme pour demain, mais…

— Voilà qui m'étonne ! la coupa celui-ci, malicieux.

Kim frappa de ses deux poings sur la table avant de s'exclamer avec une impatience feinte :

— Si vous me laissiez finir ma phrase, Reith Richardson !

— Kim a raison, papa, intervint alors Darcy, c'est mal élevé de couper la parole.

— Et voilà mon fils qui me reprend, soupira Reith. Vous avez la parole, mademoiselle Theron.

— Je…

Mais cette fois ce fut Darcy qui coupa la parole à la jeune femme :

— Pourquoi l'appelles-tu ainsi, papa ?

— Pour m'ennuyer, dit aussitôt Kim en riant, glissant pourtant un regard noir à son mari. Maintenant, laissez-moi parler : j'ai décidé que c'était à Reith d'organiser le programme de demain. Que proposes-tu ?

— Super ! s'exclama Darcy, tout excité.

Reith lui, semblait moins heureux, mais il joua le jeu et réfléchit avant d'annoncer :

— Si nous prenions l'hélicoptère pour aller faire un tour à Rottnest ?

L'île de Rottnest, située à dix-huit kilomètres de Perth dans l'océan Indien, est accessible seulement par ferry, ou par hélicoptère. Les voitures y sont interdites, mais on peut y louer des vélos pour se rendre sur d'immenses plages, paradis des surfeurs, et dans de ravissantes criques où il fait bon se baigner.

Après avoir acheté de quoi pique-niquer dans la meilleure boulangerie du village, Reith, Kim et Darcy louèrent des bicyclettes et partirent se promener. Comme le temps était magnifique, ils s'arrêtèrent pour se baigner dans une crique d'eau turquoise avant de visiter les curiosités de l'endroit : ruines de villages aborigènes, ancien établissement pénitentiaire, et enfin — et surtout — le phare de Bathurst. Darcy était aux anges.

A midi, ils pique-niquèrent avant de reprendre leurs vélos pour partir à la recherche de *quokkas*, ces petits marsupiaux qui depuis toujours ont élu domicile sur l'île.

Enfin quand arriva le soir, fatigués mais grisés de grand air, ils repartirent directement pour Perth afin de déposer Darcy à son internat, l'école reprenant le lendemain.

Un peu plus tard, comme l'hélicoptère décollait de Perth pour regagner Saldanha, Kim demanda à son mari qui pilotait :

— Quand Darcy quittera-t-il son école ?

— A la fin du trimestre. Il va falloir chercher un établissement pas trop éloigné de la propriété.

Kim hocha la tête.

— Il y en a plusieurs.

C'est alors que, sans doute par association d'idées, elle

se prit à penser aux enfants qu'elle voudrait avoir un jour. Jetant un regard de biais à Reith, concentré aux commandes de l'appareil, elle hasarda :

— Voudrais-tu avoir d'autres enfants ?

Il lui rendit son regard.

— Rien ne presse, tu ne crois pas ? Darcy commence à peine à être sur de bons rails, voyons d'abord comment les choses se passent.

— Humm… tu as peut-être raison.

Se faisait-elle des idées ou avait-elle perçu dans la voix de son mari une sorte de dureté qui voulait dire… quoi au juste ? Qu'il n'avait aucune envie d'être père de nouveau ?

L'instant d'après, il s'entretenait dans son micro avec un contrôleur aérien, et la jeune femme s'isola de nouveau dans ses pensées. Curieux, tout de même, qu'ils n'aient jamais évoqué ce sujet avant. Il est vrai qu'il y avait tant de choses dont ils n'avaient jamais discuté. Au fond, leur relation ressemblait plus à une liaison qu'à une vie de couple…

Le lendemain matin, Reith avait une réunion assez tôt à Perth où il resterait jusqu'au lendemain. En l'embrassant avant son départ, elle fit mine de s'étonner :

— Qui vas-tu retrouver à Perth ? Une jolie femme ? Tu es habillé comme un prince !

Il portait en effet un élégant costume bleu marine avec une chemise bleu pâle et une cravate à pois lavande.

Il se mit à rire, expliquant :

— Hélas, je n'ai d'autre projet qu'un conseil d'administration, puis un déjeuner avec ses membres.

— Hum… je devrais quand même me méfier, plaisanta Kim. Une très jolie femme m'a dit un jour que tu étais le plus bel homme sur terre. Ce sont ses mots ou à peu près.

Cette fois, Reith parut surpris.

— Quand ça?

— Le jour du défilé de mode, répondit-il avant d'expliquer la scène qui s'était déroulée en coulisses. Quand elle se tut, son mari éclata de rire.

— Je commence à comprendre, dit-il.

— Quoi donc?

— Tu étais furieuse contre moi, tu te souviens?

— Je n'étais en effet pas très contente que tu plaises à ce point à une femme belle et élégante.

— N'empêche que je n'y étais pour rien, fit valoir Reith, riant toujours.

— Je n'en sais rien! maintint la jeune femme sans pouvoir s'empêcher de rire à son tour.

Après quoi elle l'embrassa et il lui rendit son baiser avec passion.

— Quels sont tes projets pour aujourd'hui? voulut-il savoir quand leurs lèvres se séparèrent.

— Ma mère m'a promis de venir déjeuner, annonça Kim. C'est la première fois qu'elle revient à Saldanha, et j'aimerais que sa visite se passe bien.

La jeune femme y avait beaucoup réfléchi depuis qu'elle avait réussi à convaincre sa mère de revenir dans la maison dont jadis elle avait été la maîtresse. Elle espérait lui parler de son mariage, sans lui dire bien entendu qu'elle avait accepté d'épouser Reith pour les sauver, avec son père, de la faillite. D'ailleurs Fiona semblait s'être habituée à la nouvelle existence de sa fille, Kim avait même l'impression qu'elle avait réussi à amadouer son mari au sujet de Reith.

Pourtant ce ne fut pas celui-ci dont elles parlèrent, mais de Damien.

9.

— C'est mon fils et je ne le vois presque jamais ! soupira Fiona avec une infinie tristesse.

Kim termina le délicieux gâteau aux noix préparé par la fidèle Mary avant de révéler :

— Je l'ai aperçu aux courses, l'autre jour, mais il a fait semblant de ne pas me voir. Il était avec une très jolie fille blonde. C'est sérieux, entre eux ?

— Je n'en sais rien, se désola encore Fiona, il ne m'en a jamais parlé, et inutile de te dire que je ne lui pose pas de questions.

— En tout cas, j'espère qu'il trouvera bientôt un travail, murmura Kim, qui vit avec effroi que sa mère avait les larmes aux yeux.

— Tu es malheureuse à cause de lui, n'est-ce pas, maman ? Si seulement je pouvais arranger les choses.

— Tu sais, reprit Fiona, la famille, c'est ce qui reste quand on a tout perdu. Aussi j'en connais le prix, tu peux me croire !

Après le départ de sa mère, Kim partit se promener à cheval. Il faisait un temps frais et couvert, mais le soleil perçait par instants. Au loin, les contreforts des Darling ressemblaient à des monstres assoupis sur la ligne d'horizon.

Comme Mattie chevauchait au trot, pleine d'entrain,

Kim eut soudain l'impression que le monde se limitait au chant des oiseaux, au bruit sourd et cadencé des sabots du cheval, aux rênes entre ses mains, aux grincements du cuir de sa selle… Quelle tranquillité ! Etait-ce cela, le bonheur ?

Elle immobilisa sa monture près d'un abreuvoir, où se trouvait aussi un poteau pour attacher les chevaux. Après avoir sauté à terre, elle laissa Mattie boire tout son soûl, puis l'attacha avant de s'asseoir sur une souche d'arbre pour réfléchir.

Que faire pour rapprocher Damien de sa famille ? Si elle intervenait personnellement, comment réagirait Reith ?

Une fois encore, son incapacité à prévoir les réactions de son mari l'étonna. Depuis ce premier soir où ils avaient fait l'amour, ils n'avaient jamais explicité la situation entre eux. Tout ce qui les concernait restait dans le non-dit : ils n'avaient pas parlé de leurs sentiments, seulement du plaisir qu'ils éprouvaient dans les bras l'un de l'autre. Leur vie commune n'intéressait Reith que lorsqu'il s'agissait de Darcy. Quant aux autres sujets, Kim avait cru comprendre qu'il ne tenait pas à voir la famille s'agrandir.

Quand il n'était pas à Saldanha, la jeune femme vivait à peu près de la même façon qu'au début de leur mariage. Elle s'occupait de la maison, du jardin, et organisait des réceptions.

Elle ne s'était même jamais demandé, s'aperçut-elle subitement, si Reith Richardson était l'homme de sa vie, et si elle l'aimerait toujours. Et lui, l'aimait-il, ou la désirait-il seulement ? A cela non plus, elle n'avait pas pensé… Elle vivait au jour le jour dans une sorte de bulle qu'elle n'osait pas trop explorer de crainte de la faire éclater.

Y avait-il danger à se rapprocher de son frère ? Reith en prendrait-il ombrage, lui qui en voulait toujours à Damien ? Non, certainement pas. D'ailleurs il n'avait pas à lui dicter sa conduite. Elle lui expliquerait le chagrin de sa mère, et le sien aussi, car Damien était son frère, quoi qu'il ait fait. Certes, ils n'avaient jamais été très proches, n'empêche que c'était lui qui lui avait donné ses premières leçons d'équitation, au lycée. Il se moquait des garçons qui lui plaisaient, et la surveillait de près... Et puis, Kim était peinée de voir sa famille divisée. Il fallait ramener Damien au bercail.

A peine rentrée des écuries, la jeune femme, sa décision prise, se changea. Elle choisit un joli tailleur-pantalon de lainage noir et prépara ses affaires pour la nuit dans un petit sac de voyage. Puis elle prit sa voiture. Sunny Bob, pour son plus grand bonheur, l'accompagnait à Perth.

Les travaux de l'appartement n'étaient pas encore terminés, mais cela faisait l'affaire de Kim qui ne voulait pas rencontrer Reith tant qu'elle n'avait pas mis son plan à exécution. Elle retint donc une chambre dans un motel modeste où on acceptait les animaux, puis reprit la voiture pour se rendre au centre-ville, où habitait Damien.

Le stationnement n'était pas facile et elle trouva à garer sa voiture assez loin de l'immeuble de son frère, mais n'en fut pas mécontente : un peu de marche à pied l'aiderait à réfléchir à ce qu'elle lui dirait.

Un peu plus de deux heures plus tard, elle reprenait le même chemin pour retrouver son véhicule, très soulagée après son entrevue avec Damien.

Il l'avait tout d'abord plutôt mal accueillie, et s'était montré agressif. Puis, comme elle ne s'en formalisait pas, il l'avait enfin invitée à s'asseoir, et tous deux avaient bu un verre. Enfin, l'atmosphère entre eux se réchauffant vite, il lui avait confié combien il avait tenté toute sa vie — en vain — de ne pas décevoir son père. Frank Theron voulait que son fils fasse du vin, comme lui et son père avant lui. Ce métier devenu une tradition familiale n'avait jamais intéressé Damien qui n'aimait que les chevaux. Et puis quand tout allait au plus mal, Reith Richardson s'était présenté pour racheter les vignobles, et non seulement il avait révélé au grand jour son incompétence dans le domaine viticole et dans celui des affaires en général, mais en plus il avait épousé sa sœur…

— A cause de lui, je me suis senti tellement idiot, avoua Damien. J'avais l'impression qu'il m'avait dépouillé de tout !

Kim fronça les sourcils.

— Il a fait exprès de t'humilier, tu crois ?

— Non, je ne pense pas, concéda son frère, mais il était tout ce que j'aurais dû être et ne serais jamais. C'était dur, très dur, Kim, et la seule façon de le supporter était de le rabaisser. C'est ce que j'ai fait en lui rappelant qu'il ne sortait de rien, n'avait pas d'éducation, et n'était qu'un arriviste.

Kim, qui n'avait toujours pas rejoint sa voiture, s'immobilisa en secouant la tête. Qui aurait cru que son frère, en apparence si hautain, si sûr de lui, souffrait d'un tel complexe d'infériorité ? En tout cas, elle avait à peu près accompli sa mission : la famille serait bientôt réunie. Ne restait plus qu'à réconcilier Reith et Damien. Si seulement elle pouvait répéter à son mari ce que lui avait dit son frère…

Elle se remit en marche, et c'est alors que survint ce à quoi elle s'attendait le moins : à quelques dizaines de mètres devant elle, Reith sortait tout juste d'un hôtel de grand luxe avec une femme.

Et pas n'importe quelle femme ! Chilli George, car c'était elle !

Un taxi attendait le long du trottoir. Reith en ouvrit la portière, invita Chilli à y monter, mais, avant de le faire, elle prit la main de Reith et la plaça sur son cœur, et tous deux restèrent ainsi de longs instants, sans se quitter des yeux. Puis Reith retira sa main, et Chili grimpa dans le taxi qui s'éloigna. Alors seulement Reith se détourna pour rentrer dans l'hôtel.

Pourquoi n'avoir pas pris Reith sur le fait? Kim se poserait longtemps la question.

En vérité, elle avait regagné son motel dans un état de fureur indescriptible. Elle avait envie de hurler, de tout casser, de se cogner la tête contre les murs… Comment Reith osait-il? Alors que leur mariage marchait apparemment si bien, qu'ils venaient de décider de prendre Darcy à Saldanha, comment osait-il aller avec une autre, et surtout cette Chilli, dont la réputation de femme à hommes n'était plus à faire?

Après la fureur, ce fut le chagrin qui terrassa Kim, et elle pleura avec désespoir. Et Darcy? Se recroquevillerait-il de nouveau dans sa coquille si elle se séparait de Reith?

Irait-elle jusque-là?

Pouvait-elle vraiment continuer avec Reith si elle ne pouvait pas lui faire confiance?

La jeune femme se leva d'un bond, portant une main à sa bouche, et se précipita à la salle de bains, prise d'une horrible nausée.

La contrariété, se dit-elle un moment plus tard, en se passant le visage à l'eau froide.

Et comme elle s'étudiait dans le miroir, elle n'en fut plus si sûre…

L'émotion, la colère, la contrariété ou…?

S'obligeant à rester calme, elle alla prendre son petit agenda dans son sac et en tourna les pages d'une main mal assurée : et pourtant, oui, dut-elle constater, elle qui était régulière comme une horloge avait quinze jours de retard, et ne s'en était même pas rendu compte! Pourquoi? Parce qu'elle était amoureuse? Parce que Reith lui tournait la tête?

Mais… comment était-ce arrivé?

Son cœur s'étreignit douloureusement au souvenir de la seule fois où ils avaient fait l'amour sans protection : le désir les avait saisis à l'improviste, et ils s'y étaient abandonnés, heureux, ardents, éperdus… Après, Kim s'était rassurée : elle était à un moment de son cycle où elle ne risquait rien. Au temps pour la théorie. La réalité, elle, était bien différente…

Elle se laissa tomber dans le seul fauteuil de la chambre, sous le choc. Puis elle se redressa précipitamment comme les pensées se bousculaient dans sa tête.

Etait-ce parce qu'il entretenait une liaison avec Chilli que Reith ne voulait pas d'enfant ? Considérait-il leur mariage comme une autre liaison, et rien de plus ?

Autant de questions douloureuses sans réponse, et Kim de désespoir se prit la tête dans les mains.

— Oh ! Reith, gémit-elle à mi-voix, comment peux-tu me traiter ainsi ?

Soudain la colère la reprit, et elle se redressa.

— En tout cas, ne t'imagine pas que je vais réagir comme un mouton qu'on mène à l'abattoir ! s'exclama-t-elle en s'emparant de son téléphone.

— Oui, madame, il y a un vol de nuit pour Brisbane, lui dit l'employé de la compagnie d'aviation dans l'appareil, il décolle à minuit de Perth, et son arrivée est prévue à 6 h 30 heure locale. Il vous reste assez de temps pour le prendre, mais il faut que je fasse le dossier du chien.

— Parfait. Faites-le…

Le lendemain matin, Kim et Sunny Bob étaient dans le Queensland, à l'autre bout du continent, loin de Saldanha, de Balthazar, de ses parents, de Damien, et surtout de Reith.

Reith… Penser à lui était si douloureux !

En arrivant à l'aéroport de Brisbane, elle avait loué une voiture et cherché un établissement où les chiens étaient acceptés. Mission impossible. On les refusait dans tous les hôtels. Alors sur un coup de tête, elle avait pris le ferry pour Russell Island, de l'autre côté de la baie de Moreton.

Là, la chance avait voulu qu'une petite maison soit à louer. Une charmante villa meublée, où Sunny Bob était le bienvenu, avaient assuré les propriétaires. Kim avait payé une semaine de location, et s'était installée aussitôt sans que quiconque lui pose la moindre question.

— Vous verrez, vous serez très bien, lui avait-on promis, méfiez-vous seulement des taons qui sont nombreux à cette saison.

La jeune femme était donc passée au supermarché du village où, après avoir acheté quelques provisions, elle s'était munie d'un produit anti-insectes. Ensuite, morte de fatigue, elle avait gagné la maison, et après avoir placé ses achats dans le réfrigérateur sans s'intéresser au décor qui l'entourait, elle s'était effondrée sur le canapé pour dormir plusieurs heures.

Deux jours plus tard, elle allait beaucoup mieux et se plaisait bien dans son nouvel environnement.

La maison était perchée sur une falaise à pic, qui surplombait ce que les locaux appelaient le Canaipa Passage, et qui était un étroit bras de mer entre Russell Island et North Stradbroke Island.

Cette dernière île, très rocheuse, qui se dressait face à la maison, était inhabitée, mais abritait une population d'oiseaux extraordinaires : aigles de mer, cormorans huppés, pélicans, aigrettes et hérons, pies de mer avec leurs becs et leurs pattes rouges, et bien d'autres espèces rares... Kim, grâce à un livre d'ornithologie et une paire de jumelles trouvés dans la maison, passait des heures à les observer et à les identifier. Il y avait aussi des poissons volants qui l'amusaient beaucoup et, sur la plage, des wallabies venaient régulièrement chercher leur nourriture.

La vie à Russell Island était facile, simple. La plupart des habitants de l'île possédaient un bateau et étaient de fins pêcheurs. Kim leur achetait du poisson dont elle se nourrissait presque exclusivement. Elle dormait beaucoup, faisait aussi de longues promenades avec Sunny Bob, et essayait de s'habituer à ce qui lui arrivait.

Elle avait envoyé un texto à ses parents pour les rassurer, un autre à Mary Hiddens, puis son portable était tombé en panne de batterie, et, comme elle n'avait pas pris son chargeur, il ne fonctionnait plus.

Le soir de son quatrième jour sur l'île, une lune pleine se leva sur North Stradbroke Island, entourée d'un halo orange presque rouge d'abord, comme la nuit n'était pas tout à fait tombée. Puis, à mesure qu'elle montait dans le ciel, l'éclat argenté de sa lumière teinta de nacre irréelle la mer et les contours de l'île devenus sombres. Et Kim se surprit soudain à verser des larmes. C'était si beau, et elle était si seule et si malheureuse !

Quand Sunny Bob posa une patte sur sa cuisse, elle lui entoura le col de ses bras pour pleurer tout contre lui.

— Tu comprends, lui dit-elle quand elle se redressa afin de tirer un mouchoir en papier de sa poche, je me demande si j'ai eu raison de m'enfuir. Je l'ai fait parce que je n'avais pas le courage de me confronter à Reith. Et si j'ai tout fait pour que personne ne sache où je suis, j'espère quand même de tout mon cœur qu'il s'inquiète pour moi et qu'il me cherche…

Mais pourquoi la trompait-il ?

La jeune femme savait depuis la soirée chez Pippa à quel point l'abandon de sa mère et la dureté de son père avaient façonné la personnalité complexe de son mari. Il avait même admis avoir édifié un système de défense pour se protéger de toute intrusion. En ayant plusieurs femmes à la fois, cherchait-il toujours à se protéger ? Etait-ce un moyen pour lui de ne s'attacher à aucune ?

Kim se cala de nouveau contre le dossier de son fauteuil, Sunny Bob à ses pieds.

— Quoi qu'il en soit, reprit-elle comme si elle s'adressait à son chien, je ne peux pas rester éternellement ici à me tourner les pouces. Il est temps de regarder la réalité en face !

Cette fois, elle se leva et sortit sur la terrasse.

Bien que moins froides qu'à Perth, les nuits étaient fraîches en hiver, dans le Queensland, et la jeune femme serra les pans de son chandail sur sa poitrine avant de poser une main protectrice sur son ventre.

Comment Reith régirait-il à l'annonce de ce bébé à venir ? Et l'autre femme ? Qu'adviendrait-il d'elle ?

— Je n'en sais rien, mais il faut que je rentre, murmura la jeune femme, qui eut soudain l'impression que ses mots se répercutaient dans les ténèbres de la nuit, et que le ciel approuvait sa décision.

10.

Sa voiture l'attendait au parking de l'aéroport, de sorte que, très peu de temps après avoir atterri à Perth, Kim reprit la route de Saldanha, tout en menant une conversation à sens unique avec Sunny Bob, installé sur le siège passager.

— Je me demande ce que j'aurais fait sans toi, mon fidèle chien. Tu es vraiment un ami…

Elle caressa l'animal, puis sentit l'appréhension la gagner de nouveau. Que dirait-elle à Reith, à son retour à la propriété ?

De la maîtrise de soi, voilà ce qu'il lui fallait. Surtout ne pas crier, ne pas pleurer. Rester froide et lui dire la vérité… Et pour le bébé, que faire ?

Mais Reith n'était pas à Saldanha à son arrivée. Mary, en revanche, s'y trouvait et éclata en sanglots en voyant la jeune femme.

— Nous étions si inquiets, vos parents et moi ! se lamenta-t-elle.

Kim la réconforta de son mieux avant de lui poser la question qui lui brûlait les lèvres :

— Savez-vous où est Reith ?

— Reith, répéta Mary avec une hargne non dissimulée. Il est parti, et ce n'est pas plus mal !

Mary d'ordinaire si réservée, qui ne se mêlait jamais de la vie de ses employeurs ! Qu'avait donc fait Reith pour justifier un ton pareil ? Kim ne savait que penser.

— Où est-il parti ?

— Je ne sais pas, sans doute à Clover Hill. Oh ! quel soulagement de…

— Il y est en ce moment, vous croyez ? coupa Kim.

— Franchement, je n'en sais rien, soupira la gouvernante. Il y a eu tant d'allées et venues entre ici et là-bas que je ne saurais pas vous dire.

Sans insister, Kim monta prendre une douche et se changer.

Le jour tombait, et elle opta pour un survêtement marine et des chaussures de sport. Ses cheveux étaient libres sur ses épaules, retenus seulement par deux barrettes. Pas de maquillage, juste un peu de gloss. En revanche, elle prit soin de se parfumer. C'est d'ailleurs en appuyant sur son vaporisateur qu'elle remarqua le tremblement de ses mains.

Peut-être était-il trop tôt pour se rendre à Clover Hill ? Devait-elle réfléchir davantage ? En tout cas, une force obscure l'empêchait de quitter Saldanha, et elle descendit au rez-de-chaussée pour déambuler de pièce en pièce : tiens, elle avait oublié ce bibelot qu'elle aimait, et cette coupe en cristal si fraîche à effleurer… Ces vieux meubles venus d'Afrique, comme elle les chérissait ! Et l'argenterie que Marie s'évertuait à faire briller était vraiment belle. Quant à ces assiettes en porcelaine ancienne dont sa grand-mère faisait collection, leur finesse l'étonnait toujours…

Kim se prit à sourire en constatant que les modernisations qu'elle avait apportées à la décoration s'intégraient très bien dans la vieille demeure… Elle avait su allier le moderne et l'ancien… C'est alors que son sourire s'évanouit, remplacé par une expression perplexe : elle avait toujours été fière de Saldanha à cause de son élégance et de son histoire, intimement liée à celle de sa famille. Et elle s'y était toujours sentie très en sécurité. Or ces sentiments avaient presque disparu, à présent… Pourquoi ?

La jeune femme parcourut le salon du regard et comprit en partie pourquoi la maison la touchait moins. Les souvenirs qu'elle y avait n'étaient plus seulement ceux d'une enfance et d'une adolescence heureuses : Saldanha en évoquait d'autres maintenant, qu'elle aurait bien voulu oublier, et qui troublaient l'atmosphère de paix qu'elle avait toujours chérie en la croyant éternelle.

Kim secoua la tête. Se faisait-elle des idées ? Etait-ce son état qui la rendait à ce point sensible à ses humeurs ? En tout cas, il était temps de partir chercher Reith.

Cette fois, elle n'emmena pas Sunny Bob qui, déçu, prit une mine piteuse.

— Ne fais pas la tête, s'exclama sa maîtresse en riant, tu peux bien m'attendre à la maison ! Si ça se trouve, je serai vite de retour.

Seules quelques lumières éclairaient la maison de Clover Hill, et personne ne sortit accueillir Kim quand elle se gara devant la porte d'entrée. Pourtant le 4x4 métallisé qu'elle connaissait si bien était rangé dans l'allée.

Sa nervosité grandissant, la jeune femme dut se faire violence pour frapper à la porte. Pas de réponse.

Que faire ? Reprendre sa voiture et repartir à toute allure ? C'était reculer pour mieux sauter, elle le savait. Elle pressa donc la poignée de la porte qui s'ouvrit sans aucune difficulté. Alors prenant une profonde inspiration, elle pénétra dans la maison.

Des lampes dans le salon étaient éclairées, et l'une des portes-fenêtres donnant sur la véranda était ouverte.

— Il y a quelqu'un ? lança doucement la jeune femme.

Pas de réponse de nouveau, aussi sortit-elle dans le clair-obscur du crépuscule, tout empli du parfum des roses du jardin. Et là, elle s'immobilisa : une haute silhouette se tenait au bord de la balustrade et lui faisait face. Reith !

Pendant de longs instants, ils se regardèrent sans échanger un mot. Reith portait un jean et un chandail bleu marine, ses cheveux étaient en désordre, et Kim nota une ombre bleutée sur le bas de son visage.

S'obligeant à respirer profondément, la jeune femme avala sa salive avant de prendre la parole.

— Je t'ai vu avec Chilli George un soir à Perth, il y a un peu moins d'une semaine, Reith, dit-elle d'une voix rendue rauque par l'émotion. C'est pourquoi je me suis enfuie. Je n'étais venue pas venue à Perth pour t'espionner, mais pour voir Damien…

Elle se tut soudain, se rendant compte qu'elle avait complètement oublié son frère et ses problèmes depuis qu'elle avait quitté Perth en catastrophe.

— Je…, reprit-elle, et elle s'arrêta, sentant poindre une de ces nausées qu'elle commençait à bien connaître.

Elle se serait effondrée si Reith ne l'avait pas rattrapée.

D'un bond il fut auprès d'elle, la souleva dans ses bras et la porta à l'intérieur où il la déposa sur le canapé.

— Ne bouge pas, ordonna-t-il.

Kim ferma les yeux, et l'instant d'après, il était de nouveau auprès d'elle avec un petit verre de cognac qu'il lui tendit.

Elle en but une gorgée avant de le repousser d'un geste violent en même temps qu'elle se redressait.

— Non ! Pas de ça !

— Tu te sentiras mieux, plaida son mari.

— Tu ne peux pas comprendre. Je ne dois pas boire d'alcool.

Reith fronça les sourcils.

— Pourquoi ?

— Parce que je suis… Je suis…

Comment avouer ? Elle n'en avait pas la force, mais très vite elle lut dans le regard de son compagnon qu'il avait compris.

— Tu es enceinte ?

— Oui.

Les larmes ruisselaient sur son visage tout à coup, et elle poursuivit, gémissant presque :

— Ce n'était pas assez de te voir avec une autre femme. Une femme que je déteste, en plus ! Il a fallu que je découvre que j'attendais un bébé, et je ne sais même pas si tu veux un jour d'autres enfants. Dans l'hélicoptère, l'autre jour, tu n'étais pas très enthousiaste, quand…

La jeune femme ne put aller plus loin tant sa gorge lui faisait mal.

Sans la pousser davantage, Reith tira un siège pour s'asseoir face à elle.

— Où avais-tu disparu ?

— Je… euh… dans le Queensland, sur une petite île au large de Brisbane. Russell Island.

— Je ne connais pas.

— Moi non plus, je n'en avais jamais entendu parler, mais c'est un endroit très tranquille, et je…

Il la coupa et répondit sans préambule :

— J'ai rencontré Chilli dans le hall de mon hôtel, ce soir-là. Nous sommes tombés l'un sur l'autre par le plus grand des hasards, avons échangé quelques mots — elle m'a même demandé de tes nouvelles — puis m'a dit qu'un taxi l'attendait dans la rue. Elle m'a proposé que nous dînions ensemble, j'ai refusé, et l'ai accompagnée à son taxi. Et là, dans la rue, à ma plus grande confusion, elle a eu un geste… disons… déplacé.

Reith haussa les épaules, mais Kim fit valoir avec amertume :

— Déplacé, oui, c'est le moins qu'on puisse dire, et qui prêtait même sérieusement à confusion, tu peux me croire.

— Je n'y étais pour rien, Kim, je te jure que j'ai été le premier surpris. Et je te jure aussi qu'il ne s'est rien passé d'autre entre elle et moi. Elle n'est absolument pas mon genre : c'est une femme qui a toutes les audaces avec les hommes qu'elle veut séduire, et je déteste ça.

Kim prit le temps d'intégrer ce qu'elle venait d'entendre. Reith ne méritait-il pas d'être cru ? Après tout, ce qu'elle avait vu ne signifiait peut-être rien, puisqu'il le lui assurait.

Et puis, il y avait à présent des problèmes plus importants à tirer au clair avec lui.

Elle se redressa pour regarder son mari bien en face.

— Dis-moi la vérité, Reith, tu ne veux plus d'enfant, n'est-ce pas ?

Il lui prit la main, semblant chercher ses mots.

— Kim, finit-il par articuler, j'ai peur, voilà la vérité.

Kim écarquilla ses grands yeux bleus.

— Oui, reprit son mari, je ne me suis jamais pardonné la mort de Sylvia, et s'il devait t'arriver la même chose, je ne le supporterais pas. Mais dis-moi, tu le veux, toi, ce bébé ?

Un long silence s'établit comme Kim scrutait le visage de son mari, essayant de lire ce qu'il pensait. Enfin, elle déclara :

— Mon plus cher désir est de porter ton enfant, Reith, mais…

Elle eut un petit geste d'impuissance de la main avant de reprendre :

— Tu sais parfois, j'ai l'impression que nous avons une liaison, pas que nous sommes un couple marié.

Reith réfléchit à son tour à ce qu'il venait d'entendre, et il hasarda enfin :

— Peut-être parce je me demande sans cesse si tu ne vas pas te réveiller un beau matin et découvrir que je ne suis pas assez bien pour toi.

Cette fois, Kim fut ahurie.

— Allons, tu ne parles pas sérieusement, n'est-ce pas ?

Et puis la pensée de Damien lui revint, son frère si peu sûr de lui, malgré son comportement arrogant…

Reith avait pris ses mains, à présent.

— Si, je suis très sérieux, Kim, j'ai même pensé que tu t'étais enfuie pour cette raison.

— Oh non ! Mais tu es fou !

Il sourit, mais son sourire disparut vite comme il reprenait :

— Je me suis aussi demandé si tu avais appris que j'avais vendu.

— Vendu ? Quoi donc ?

Il prit une profonde inspiration, puis lâcha :

— Les deux propriétés : Saldanha et Balthazar.

— Les deux ! souffla la jeune femme.

Le coup était dur, et Reith vit les beaux yeux bleus s'assombrir sous le choc. Tout de suite, il expliqua d'une voix pressante :

— Je l'ai fait pour nous, Kim, pour que nous arrivions enfin à nous entendre et à vivre en paix. Si j'étais resté propriétaire des biens de ton père, tu aurais toujours été écartelée entre ta famille et moi.

— Mais…

Kim n'alla pas plus loin.

— Si cela peut te consoler en partie, les deux propriétés ont été achetées par un consortium sud-africain dont les propriétaires souhaitent se développer en Australie. Et ils sont très heureux d'accueillir ton père dans leur conseil d'administration pour y jouer un rôle de conseiller.

Kim passa la langue sur ses lèvres sèches.

— Quand as-tu vendu ?

— Nous y travaillons depuis plusieurs mois, et nous venons seulement de finaliser la vente.

— Donc tu penses depuis déjà longtemps que je suis partagée entre toi et ma famille ?

— Oui, admit Reith, en effet.

A cet instant, une idée vint à Kim.

— Tu as dit à Mary que tu avais vendu Saldanha ? Je l'ai trouvée très remontée contre toi, à mon arrivée. Elle, toujours si mesurée, semblait beaucoup t'en vouloir.

Reith sourit :

— Je ne lui ai rien dit, non, mais quand elle m'a appris que tu étais partie pour Perth avec juste un petit sac de voyage et Sunny Bob, et qu'elle ignorait où tu étais allée ensuite, je lui ai reproché de t'avoir laissé partir. Alors elle m'a assené quelques vérités pas très agréables à entendre.

— Lesquelles ?

— Que je n'étais pas digne de toi, que je ne te rendais pas heureuse...

Reith haussa les épaules avant d'ajouter dans un soupir :

— Et j'en passe...

Kim à son tour sourit, tandis que son mari reprenait :

— Personne ne saura jamais tout ce que j'aurai dû endurer pour vous conquérir, Kim Richardson.

Cette fois, elle éclata de rire.

— Sans oublier que j'ai failli vous faire percuter un gros arbre, monsieur Richardson.

Reith se leva, et, comme il la regardait intensément, Kim lut une question vitale dans ses yeux. Aussi se dressa-t-elle à son tour et, sans cesser de le regarder, alla se lover dans ses bras.

— Oh ! Reith, murmura-t-elle d'une voix étranglée par l'émotion, je t'aime tant, j'ai été si malheureuse...

Il la fit taire par un baiser, tout en la serrant dans ses bras.

Ils demeurèrent étroitement enlacés un long moment, puis Reith alla allumer un feu dans la cheminée après avoir fermé les portes-fenêtres, car il commençait à faire froid. Il s'assit ensuite à côté de Kim sur le canapé et, tout en passant lentement les doigts dans ses cheveux, demanda :

— Tu m'en veux beaucoup pour Saldanha ?

Kim réfléchit avant de répondre.

— Non, admit-elle enfin. J'aurais aimé qu'il y ait toujours un Theron pour exploiter Balthazar, mais on ne peut pas tout avoir.

Elle se tut avant de poursuivre :

— Quant à Saldanha, je ne sais pas comment l'expliquer, mais je n'y trouve plus le refuge qui m'était si cher autrefois. Ici, en revanche, je me sens en paix.

Et pour ponctuer sa déclaration, elle promena un regard étonné autour d'elle.

— Oui, à Clover Hill je suis bien, dit-elle encore.

— Moi aussi. Ici, rien ne nous rappelle les drames et les dissensions que nous avons affrontés, c'est un bel endroit pour prendre un nouveau départ et accueillir un enfant…

11.

Huit mois plus tard ou presque, Darcy tenait maladroitement dans ses bras un tout petit bébé enroulé dans un châle rose.

— Oh ! mais c'est qu'elle est minuscule ! s'exclama-t-il.

— En général, les bébés sont plutôt petits, quand ils naissent.

— Je sais, mais… oh, la voilà qui pleure ! Tiens, Kim, prends-la.

Et l'enfant tendit le petit paquet emmailloté à la jeune femme radieuse dans son lit d'hôpital — le même que celui où son amie Penny avait eu son bébé.

Kim sourit en regardant sa petite fille.

— Mais non, elle ne va pas pleurer, elle fait la grimace, c'est tout.

Elle déposa un léger baiser sur le front du nouveau-né avant de déclarer :

— Et maintenant, messieurs, il faut lui trouver un prénom.

Reith baissa les yeux, s'efforçant de ne pas rire :

— Ou je ne te connais pas bien, ou tu en as un en tête, ma chérie. Je me trompe ?

— J'ai quelques idées, mais suis ouverte à toutes les suggestions, rétorqua la jeune femme.

Darcy regarda son père qui regarda son fils, puis le garçonnet déclara :

— Tu sais, papa, autant laisser Kim décider, cela gagnera du temps.

— Tu as raison, admit Reith, riant toujours sous cape.

Kim se redressa, feignant un air indigné.

— Tous les deux, vous semblez suggérer que je n'en fais jamais qu'à ma tête !

— C'est la vérité, répliquèrent le père et le fils avec un bel ensemble.

Kim les fusilla tous les deux du regard, mais à cet instant le bébé fit entendre un petit gargouillis. Dès qu'elle baissa les yeux sur lui, elle redevint radieuse, toute à son bonheur. Et ce fut avec un grand sérieux qu'elle s'adressa à sa fille :

— Dans ce cas, ma chérie, je pense qu'on te donnera toutes sortes de noms : mon ange, mon amour, ma douceur, ma belle, pour n'en citer que quelques-uns. Mais pour moi, tu as une tête à t'appeler Martha.

L'été était revenu. Martha qui venait d'avoir trois mois dormait dans son petit lit de merisier sous l'œil attentif de Mary Poppins, quand sa maman, arborant une robe balconnet de soie bleu saphir assortie à ses yeux, descendit le grand escalier de Clover Hill.

Les applaudissements fusèrent du petit groupe assemblé en bas dans le hall : c'était l'anniversaire de la jeune femme, et sa famille était venue le lui souhaiter : Fiona, dans une robe rose qui la rajeunissait, était presque aussi élégante que sa fille, et Frank Theron en costume sombre et chemise blanche n'avait rien perdu de sa prestance.

Damien était là aussi avec la jeune femme blonde que Kim avait vue aux courses : une certaine Lavinia, qu'il avait épousée peu de temps avant et qui arborait une ahurissante robe en lamé argent, si moulante qu'il fallait un corps parfait comme le sien pour la porter sans ridicule. Elle avait des cheveux blond platine, de longs ongles peints en noir, et d'extravagants bijoux ornés de faux diamants. Kim s'était liée d'amitié avec elle, et avait vite découvert quelle personne sensée et habile elle était. Depuis qu'elle fréquentait Damien, il avait beaucoup changé en bien, et avait trouvé depuis peu un emploi qui lui plaisait dans le milieu des chevaux de courses.

Reith et Damien, s'ils n'étaient pas vraiment amis, avaient enterré la hache de guerre, et Frank Theron ne manifestait plus aucune hostilité envers son gendre. Quant à Fiona qui, dès le début avait respecté Reith, elle était maintenant sous son charme.

Pippa Longreach était là aussi, dans une tenue qui alliait toutes les nuances du bleu turquoise. Elle était passée d'un extrême à l'autre, s'étant débarrassée de Lachlan pour le remplacer par un homme de trente ans plus âgé qu'elle, mais très — « vraiment très très » fortuné, avait-elle assuré à Kim.

Bill et Molly Lawson étaient invités aussi, et bien sûr il y avait Darcy, impeccablement coiffé, et sur son trente-et-un.

Durant quelques instants, parmi tous ces gens qu'elle aimait, Kim ne vit que son mari, si beau, si séduisant dans son costume gris foncé, et qui la regardait descendre les escaliers avec une telle intensité qu'elle faillit trébucher d'émotion.

— Pardon de vous avoir fait attendre, lança-t-elle à la cantonade, mais mademoiselle Martha vient seulement de s'endormir. Bonjour, maman.

Et avançant vers sa mère, elle la serra sur son cœur, disant encore :

— Tu es magnifique.

— Toi aussi, ma chérie, bon anniversaire.

Ce fut un joyeux repas. Mary Hiddens, qui avait pardonné à Reith, avait quitté Saldanha pour s'installer à Clover Hill, et pour l'anniversaire de Kim elle s'était surpassée.

Puis à la fin du déjeuner, comme on débarrassait les assiettes, Martha se réveilla. Kim alla la voir et, la trouvant d'une humeur exquise, elle la descendit. Elle charma tout le monde avec ses sourires et son gazouillis, et accapara tant l'attention générale que Kim glissa à l'oreille de Reith :

— Ce n'était peut-être pas une bonne idée de la prendre avec nous. Nos invités ne peuvent plus placer un mot.

Reith se mit à rire.

— Je crois, déclara-t-il, qu'elle est la digne fille de sa mère qui, où qu'elle soit, devient le centre de l'attention.

— C'est faux ! protesta la jeune femme.

— Absolument pas, et tu ne m'en es que plus chère, rétorqua son mari. Souviens-toi, si tu n'avais pas dansé la gigue en plein milieu d'une route de campagne, nous ne nous serions jamais rencontrés.

— Voilà une chose que tu ne me pardonneras jamais, j'ai l'impression ?

Reith haussa les épaules.

— Je t'ai pardonné, fit-il en riant, mais je n'oublierai jamais, cela, non ! Tiens, regarde-les, ajouta-t-il avec un geste de la main.

Kim suivit la direction qu'il lui indiquait et vit Darcy tenant dans ses bras sa demi-sœur. Il était beaucoup plus à l'aise que la première fois, et Martha l'aimait plus que tout au monde. Parfois, quand elle pleurait, il était le seul à réussir à la calmer.

Kim éprouva soudain un merveilleux sentiment de bonheur en voyant le garçonnet et son petit bébé. C'était une réussite car Darcy semblait heureux, maintenant.

*
* *

Les invités étaient partis, Darcy était monté se coucher, et la petite Martha dormait paisiblement dans son joli lit ancien. Mary aussi s'était retirée, et Kim et Reith, installés dans la véranda, prenaient un dernier café au clair de lune.

Reith sortit un petit paquet de sa poche qu'il posa sur la table éclairée par une bougie dans un photophore.

— C'est pour toi, dit-il à sa femme. Tu ne l'as peut-être pas remarqué, mais je ne t'ai pas fait de cadeau pour ton anniversaire.

— Oh ! Reith, tu me donnes tant, tout le temps. Je n'ai pas besoin de cadeau.

— Si au contraire, et d'ailleurs, celui-là, il est bien spécial. Je te le dois depuis longtemps.

Comme la jeune femme ne faisait pas mine de prendre le petit paquet, il le lui mit dans la main : c'était un écrin de velours sombre attaché par un ruban d'argent.

Retenant son souffle, Kim dénoua le lien, et ouvrit le coffret : il contenait un magnifique saphir carré entouré de diamants et monté sur un anneau d'or.

Se levant, Reith sortit le bijou de son écrin avant de soulever la main gauche de sa femme pour le glisser à son annulaire qui portait déjà une alliance.

Kim regarda le bijou, puis son mari, et elle n'offrit aucune résistance quand il l'aida à se mettre debout.

— Merci, murmura-t-elle, la voix toute tremblante d'émotion. Elle est si belle.

Il l'attira dans ses bras, et chuchota tout contre ses cheveux :

— J'aimerais tant savoir te dire combien je t'aime.

— Tu n'as pas à me le dire, je le sais, mon amour, et je t'aime au-delà des mots, moi aussi.

Découvrez la saga *Azur* de 8 titres

La couronne de SANTINA

Et plongez au cœur d'une principauté où les scandales éclatent et les passions se déchainent.

| 1ᵉʳ avril | 1ᵉʳ mai | 1ᵉʳ juin | 1ᵉʳ juillet |
| 1ᵉʳ août | 1ᵉʳ septembre | 1ᵉʳ octobre | 1ᵉʳ novembre |

collection *Azur*

Ne manquez pas, dès le 1er juin

UN BOULEVERSANT INTERLUDE, *Anna Cleary* • N°3356

Quand elle croise le regard brûlant de son nouveau voisin, Guy Wilder, Amber sent la panique l'envahir. Certes, cet homme est beau à se damner, et son sourire irrésistible, mais comment peut-il déclencher en elle un désir aussi soudain, aussi violent ? Une question qu'elle cesse très vite de se poser lorsque Guy lui fait clairement comprendre qu'elle lui plaît : sans pouvoir résister, Amber se laisse emporter par la passion. Jusqu'à oublier, l'espace d'une nuit, que ces moments magiques ne sont sûrement pour lui qu'un délicieux interlude, et qu'il se lassera très vite d'elle...

CONQUISE PAR UN PLAY-BOY, *Lucy Ellis* • N°3357

Alors qu'elle passe des vacances à Saint-Pétersbourg, Clémentine fait la connaissance de Serge Marinov, un séduisant homme d'affaires russe qui lui inspire tout de suite un intense désir. Si intense, qu'elle n'a pas la force de lui dire non lorsqu'il lui propose de prolonger ses vacances en l'accompagnant à New York pour quelques jours. Comment refuser, alors qu'elle n'attend qu'une chose : qu'il la prenne dans ses bras et l'embrasse avec passion ? Pourtant, elle pressent qu'elle commet peut-être une terrible erreur : supportera-t-elle le moment, inéluctable, où ce séducteur invétéré, lassé d'elle, la rejettera sans pitié ?

UN INCONNU TROP SÉDUISANT, *Kim Lawrence* • N°3358

Engagée pour garder un cottage durant l'été, Miranda espérait profiter du calme de la campagne anglaise pour réfléchir à la nouvelle vie qu'elle veut se construire. Un calme très relatif, puisqu'elle a la stupeur de se réveiller un matin avec un inconnu dans son lit ! Un inconnu qui s'avère être le neveu de la propriétaire, et qui semble n'avoir *aucune* intention de quitter les lieux. Si elle ne veut pas renoncer à ce travail, Miranda comprend qu'elle va devoir cohabiter avec cet homme dont l'arrogance, mais aussi la beauté virile, la perturbent au plus haut point...

ENTRE DÉSIR ET VENGEANCE, *Sara Craven* • Nº3359

En se faisant engager chez Brandon Industries, Tarn n'avait qu'une idée en tête : rendre fou de désir Caz Brandon, le P.-D.G., avant de le rejeter publiquement. Autrement dit l'humiliation suprême pour ce don Juan, qui n'a pas hésité à profiter de la naïveté de sa jeune sœur pour la séduire… Mais dès leur première rencontre, Tarn a la stupeur de découvrir en Caz un homme qui n'a rien à voir avec le séducteur sans morale qu'elle imaginait. Une découverte qui la déstabilise et la trouble. Comment pourra-t-elle, dans ces conditions, exécuter son plan… jusqu'au bout ?

LE SECRET DE JAKE FREEDMAN, *Emma Darcy* • Nº3360

Lorsqu'elle rencontre pour la première fois Jake Freedman, le nouvel associé de son père, Laura est aussitôt sur ses gardes. D'abord parce que ce brillant homme d'affaires, arrogant et sûr de lui, est précédé d'une sulfureuse réputation de séducteur. Ensuite parce qu'elle a du mal à croire qu'il veuille investir son temps et son argent dans l'entreprise familiale. Alors, que cherche vraiment Jake Freedman ? Décidée à découvrir la vérité sur les véritables motivations de ce dernier, Laura sait aussi qu'elle va devoir résister à tout prix à l'attirance irraisonnée qu'il lui inspire…

ENCEINTE D'UN SÉDUCTEUR, *Heidi Rice* • Nº3361

En acceptant de passer deux semaines avec Mac Brody, le célèbre acteur de cinéma, Juno pensait pouvoir profiter sans arrière-pensée de cette parenthèse enchantée, sans imaginer une seule seconde que sa vie serait à ce point bouleversée. Car non seulement elle est tombée éperdument amoureuse de cet homme beau à se damner, habitué à fréquenter les plus belles femmes du monde, mais elle est enceinte de lui ! Comment réagira Mac, lorsqu'elle lui apprendra qu'elle attend son enfant ?

PASSION DANS LE DÉSERT, *Carol Marinelli* • Nº3362

 En se rendant auprès de sa sœur, princesse de Zaraq, Georgie sait qu'elle va revoir au palais le prince Ibrahim, l'homme dont elle est amoureuse, mais qui a toutes les raisons de la détester. N'a-t-elle pas dû le repousser, quelques mois plus tôt, sans même pouvoir lui donner un mot d'explication ? Mais une fois sur place, Georgie a la surprise de se voir proposer par Ibrahim une excursion de quelques jours dans le désert. Une proposition qu'elle n'ose refuser, mais qui la plonge dans l'angoisse. Quand elle sera seule avec lui, pourra-t-elle continuer à lui cacher les sentiments qu'il n'a jamais cessé de lui inspirer ?

UNE ALLIANCE SOUS CONTRAT, *Sharon Kendrick* • N°3363

Lily retient avec peine ses larmes de colère et de désespoir. Ainsi, Ciro d'Angelo, cet arrogant homme d'affaires italien, est le nouveau propriétaire de la maison familiale où elle a grandi ! Une demeure que Lily croyait avoir héritée de son père mais que sa belle-mère s'est visiblement empressée de vendre sans rien lui en dire. Que va-t-elle devenir si Ciro lui demande de quitter les lieux ? Où ira-t-elle, avec son jeune frère dont elle a la charge ? Mais alors que le désespoir menace de la submerger, Ciro lui fait une incroyable proposition : elle pourra rester dans la maison de sa famille, à condition de l'épouser...

UNE EXQUISE FAIBLESSE, *Anne Oliver* • N°3364

Emma est stupéfaite. Comment Jake Carmody ose-t-il lui faire des avances, alors qu'il n'a jamais daigné lui accorder un regard par le passé S'il croit qu'elle est toujours la jeune fille naïve et inexpérimentée d'autrefois, follement amoureuse de lui, il se trompe : hors de question qu'elle cède à ce play-boy sans scrupules ! Et de toute façon, n'a-t-elle pas décidé de se consacrer exclusivement à sa carrière professionnelle Mais lorsque Jake lui propose une escapade romantique de quelques jours, loin de Sydney, Emma sent toutes ses résolutions s'évanouir...

LE PARI D'UN MILLIARDAIRE, *Kate Hewitt* • N°3365

- La couronne de Santina - 3ᵉ partie

Quand Ben Jackson, le célèbre milliardaire, la met au défi de participer à un ambitieux projet caritatif, Natalia sait qu'elle tient enfin une occasion de prouver qu'elle n'est pas l'héritière capricieuse et gâtée,comme tout le monde le pense. Pour une fois, elle sera digne de son titre de princesse de Santina ! Et par la même occasion, elle effacera, sur le visage de Ben, ce sourire narquois qui l'irrite tant. Même si, elle le sait, travailler avec cet homme arrogant et insupportable sera pour elle une véritable épreuve...

Attention, numérotation des livres différente
pour le Canada : numéros 1799 à 1804.

www.harlequin.fr

Composé et édité par les

éditions (H) **HARLEQUIN**

Achevé d'imprimer en avril 2013

BRODARD & TAUPIN

La Flèche
Dépôt légal : mai 2013
N° d'imprimeur : 71857

Imprimé en France